BERLITZ®

WALT DISNEY WORLD et ORLANDO

- Un ✓ dans la marge indique un site ou monument que nous vous recommandons tout particulièrement
- Berlitz-Info regroupe toutes les informations pratiques, classées de A à Z, à partir de la page 115
- Pour un repérage facile, des cartes claires et détaillées figurent sur la couverture et à l'intérieur de ce guide

Printed in Switzerland by Weber SA, Bienne.

1e édition (1995/1996))

Bien que l'exactitude des informations présentées dans ce guide ait été soigneusement vérifiée, elle n'en est pas moins subordonnée aux fluctuations temporelles. N'hésitez pas à nous faire part de vos corrections ou de vos suggestion en écrivant à Berlitz Publishing, à l'adresse ci-dessus.

Les auteurs, rédacteurs et éditeurs de ce guide déclarent spécifiquement qu'ils sont totalement indépendants du Walt Disney World Resort et de tous les membres de la corporation Disney. Le matériel décrit dans ce guide n'a en aucune façon été approuvé par l'organisation Disney. L'éditeur de ce guide n'a aucunement tenté de s'approprier les copyrights et modèles déposés de Walt Disney Company Inc. – tels que *Audio-Animatronics*, EPCOT et *Captain EO* –, desquels il a été fait mention uniquement dans leur contexte légal.

Texte: Martin Gostelow
Rédaction: Isabelle et Olivier Fleuraud, Christophe, J. Rickenbach
Photographie: Martin Gostelow, sauf pp.33, 105 Jacques Bétant; pp.4, 6, 9, 61, 62 and 83 © Universal Studios Florida; p.7 © Busch Gardens, Tampa; p.10 © Orlando/Orange County Convention and Visitors Bureau Inc.; p.85 (encart) © Wet 'n'Wild
Maquette: Cristina Silva
Cartographie: Visual Image

Couverture: Sea World, Martin Gostelow, © Berlitz.
Dos: Universal Characters, © Universal Studios Florida.

SOMMAIRE

Orlando et les parcs thématiques

Nul doute que tout le monde est désormais au courant. Le Walt Disney World Resort, près d'Orlando en Floride centrale, est le plus grand parc d'attractions de la planète.

Si vous n'êtes guère attiré par la foule, ne vous laissez pourtant pas décourager: il y a de la place pour tous. En effet, le domaine Disney couvre une superficie de 113km^2, soit 11 200ha ou presque la taille de San Francisco. Cependant, Orlando et Walt Disney World font deux. Le site est à 40km au sud-ouest de la ville, et beaucoup plus proche de Kissimmee, naguère petite ville somnolente d'éleveurs de bétail. Mickey et ses amis ont déclenché l'expansion, mais d'autres attractions se sont regroupées autour, afin de tirer parti de l'afflux de visiteurs. Au dernier recensement, 120 000 lits d'hôtels étaient prêts à recevoir les touristes.

Quantité de visiteurs débarquent directement à l'aéroport international d'Orlando, dont la fréquentation a été multiplié par vingt depuis l'ouverture du Walt Disney World. D'autres passent par Miami, à 352km au sud, et relié à Orlando par de bonnes routes et des vols fréquents. Une foule de gens viennent en voiture de toute l'Amérique du Nord – il suffit de regarder les plaques d'immatriculation, dans les parkings, pour avoir une idée du nombre d'Etats représentés. La liaison entre Orlando, le reste de la Floride et les principales villes des Etats-Unis est également assurée par le chemin de fer et des lignes de bus.

Le Walt Disney World a ouvert ses portes au public le vendredi 1er octobre 1971, date délibérément choisie parce que c'est le jour le plus calme de la semaine dans le dernier mois touristique de Floride. Ayant déjà une certaine expérience, les cadres du parc avaient souhaité éviter les embouteillages et les foules qui avaient encombré le Disneyland de Californie pour son premier jour.

Ici, les personnages de bandes dessinées sont bel et bien réels, et signent même des autographes!

Même avec ces précautions, 10 000 visiteurs arrivèrent. Le lendemain du *Thanksgiving*, à la fin novembre, le chiffre s'élevait à 60 000 et le parc était rempli. Depuis lors, la popularité de Walt Disney World a grandi chaque année.

Disney lui-même avait prophétisé que le «World» ne serait jamais terminé, mais il ne prédisait pas une croissance lente: il voulait dire que le parc évoluerait et s'étendrait; ses prévisions se sont réalisées. Il y eut d'abord le Magic Kingdom (royaume magique), version magnifiée du Disneyland de Californie; puis l'EPCOT Center, encore plus étendu. Le Disney-MGM Studios Theme Park vint compléter l'empire en 1989. Tous ont pris de l'ampleur depuis leur inauguration et l'on parle d'un quatrième pour la fin du siècle. Il y eut d'abord les trois hôtels Disney, maintenant il y en a 12, et les architectes sont en train de reconcevoir la structure du parc. Ils ne savent plus où s'arrêter!

Le Walt Disney World n'est pas seulement un parc d'attractions réservé aux enfants. C'est l'une des destinations les plus populaires des Etats-Unis pour les lunes de miel. En fait, la majorité des visiteurs sont des adultes – pour eux Disney World fournit des boîtes de nuit et des bars dans les hôtels aussi bien que des discothèques et des clubs à Pleasure Island. Avec les piscines et les plages sablonneuses, les lacs et la voile, les courts de tennis, et plus de terrains que n'importe quel autre golf en Floride, vous pouvez rester à Disney World pour toute votre visite. Mais si vous le faites, vous manquerez toutes les autres attractions de la région d'Orlando.

Les Universal Studios de Floride ont ouvert en 1990, mais les plans pour l'installation de studios à cet endroit étaient faits depuis longtemps, depuis qu'Orlando était devenu l'«Hollywood Est» (Disney y ouvrit Disney-MGM Studios en premier). En s'installant en Floride centrale, ils pourraient percer dans le marché des parcs thématiques tout en tirant avantage du climat et des prix moindres des travaux et autres frais. Un site de 178ha

Les concepteurs des parcs vont jusqu'au bout du monde pour recréer des décors réalistes.

fut choisi juste au nord de l'*International Drive*, près de l'*I-4 interstate highway*. Les grands espaces ont offert la possibilité de construire des attractions et de véritables installations de production à grande échelle. Les plateaux sont accessibles aux visiteurs dans la mesure du possible, et peuvent ainsi faire partie du spectacle. Les investissements faits par les propriétaires associés (MCA et la Rank Organization) s'élèvent à 630 millions de dollars, et lorsque vous verrez la taille de l'opération et de certaines technologies, vous comprendrez pourquoi.

Le Sea World a commencé ici en 1973 comme une version moderne des parcs aquatiques, une tradition floridienne depuis les années 20. Il s'est maintenant agrandi et a évolué en autre chose que de simples sauts de dauphins, d'otaries faisant les clowns et de pingouins paradant. La Busch Entertainment Corporation, qui fait partie de l'empire géant de la brasserie Anheuser-Busch, a acheté le Sea World en 1989 (l'ajoutant à ses propriétés de Busch Gardens à Tampa, et de Cypress Gardens au sud d'Orlando) et lance maintenant un défi à la suprématie de Disney.

Mais je vous reconnais! Des sosies de personnalités déambulent dans les allées des studios cinématographiques.

700 USED CLOTHING 700

Les attractions ont été multipliées et variées; si vous allez à Orlando, il faut absolument visiter le Sea World.

Après avoir passé quelques jours dans les parcs thématiques, vu l'horrible route appelée *International Drive*, et conduit le long de la I-4 et de la Highway 192 plusieurs fois, vous vous demanderez peut-être si Orlando a un centre ville. Eh bien oui! – même si les millions de visiteurs qui vont directement de l'aéroport au Walt Disney World ou Kissimmee ne le voient jamais. Du toit des immeubles les plus élevés de Disney, ce n'est qu'une petite tache à l'horizon. Même l'International Drive, à mi-chemin, est à environ 15km du centre d'Orlando.

Jusqu'aux années 60, Orlando était une ville vieillotte, dans un paysage de lacs et de marais. Il est vrai que la ville a d'adorables quartiers construits par des immigrés prospères qui prenaient leur retraite loin des froids hivers du nord; ces quartiers existent toujours, mais le reste est méconnaissable. Le programme spatial, basé à cap Canaveral tout proche, attira des industries de technologies de pointe; l'expansion touristique créa des emplois, ce qui provoqua une réaction en chaîne.

Il y eut une explosion démographique, et comparé avec le

Orlando a bien changé: ce n'était autrefois rien d'autre qu'un simple marécage.

reste de la Floride, la population est beaucoup plus jeune. Les grandes compagnies y installèrent leurs quartiers généraux, et les vedettes du sport en firent leur résidence. Orlando est maintenant le pivot de la Floride centrale, avec des tours de verre et d'acier et d'ambitieux projets de développement. Comme on pouvait s'y attendre, rien de tout cela n'attirait beaucoup de gens hors des parcs thématiques; la ville décida alors de créer un complexe de loisirs bien à elle, en rénovant les vieux bâtiments de Church Street Station.

D'excellentes routes rendent les parcs d'attractions faciles d'accès. Le Kennedy Space Center et la côte atlantique sont à moins d'une heure; la côte du Golfe n'est pas beaucoup plus loin. Il y a assez à faire pour y passer plusieurs vacances. Pas étonnant que les gens y retournent...

L'histoire de Walt Disney

Walter Elias Disney naquit à Chicago le 5 décembre 1901. Son père, un Anglo-irlandais né au Canada, était un petit entrepreneur en bâtiment. Alors qu'il marchait à peine, sa famille partit s'installer dans une ferme du Missouri. Tous les enfants devaient prendre part aux travaux de la ferme, mais Walt, dès son plus jeune âge, fit montre d'un grand intérêt pour le dessin; à 14 ans, il prit ses premières leçons dans une école d'art de Kansas City.

En 1919, il servit comme chauffeur d'ambulance dans l'armée américaine stationnée en France. Quelques photos montrent qu'il n'avait pas cessé de dessiner, même si son talent était confiné aux caricatures décorant son ambulance et aux fausses médailles sur les vestes de ses camarades.

Il avait vu les films d'animation, assez élémentaires, de l'époque et était persuadé de pouvoir faire mieux. De retour à Kansas City, il s'associa à Ubbe «Ub» Iwerks pour réaliser des publicités et des versions de *Cendrillon* et de *Robin des Bois*. Avec son frère aîné Roy, il produisit des courts métrages, *Alice in Cartoonland*, combinant vie réelle et dessin animé (un procédé qu'il reprit pour *La Mélodie des mers du Sud* et *Mary Poppins*).

En route pour Hollywood

La série des *Alice* connu un certain succès, mais ruina le nouveau studio. Walt Disney partit pour Los Angeles en 1923, décidé à réaliser des films d'animation d'une qualité très supérieure à celle des rudimentaires «bouche-trous» de l'époque. Il voulait créer des personnages ayant une vie, des émotions et auxquels les spectateurs pourraient s'identifier. Iwerks le rejoignit pour s'occuper de la réalisation artistique et Roy Disney, déjà en Californie, prit en charge la gestion commerciale.

La répartition des tâches se trouva bientôt établie. Disney générait les idées et, selon son mot, «fécondait» les divers départements. En 1926 déjà, il avait abandonné le dessin – il était plus tard embarrassé lorsque les enfants pensaient qu'il avait créé ses films seul, alors qu'il ne pouvait même pas leur dessiner Pluto ou Dingo. *Oswald the Lucky Rabbit* apporta quelque renommée au studio, mais Disney perdit les droits sur le personnage dans un conflit contractuel qui l'opposa à un distributeur new-yorkais. Par la suite, il garda un contrôle absolu sur toutes les créations de la société, les protégeant par des *copyrights* et autres *trademarks*.

Naissance de Mickey

Selon Walt Disney, c'est dans le train de New York qu'il eut l'idée d'un nouveau personnage, une souris appelée... Mortimer! Lorsqu'il en parla à Lillian, sa femme, celle-ci lui suggéra sagement de choisir le nom de Mickey. Ub Iwerks le dessina avec des oreilles rondes, des pantalons de velours, des chaussures à bout arrondi et des gants à quatre doigts.

En 1927, Mickey Mouse fit son apparition dans un court métrage muet, *Plane Crazy*, contemporain du premier film parlant, *The Jazz Singer*. Sensible à la marche des événements, Walt Disney ne tarda pas à doter *Plane Crazy* d'une bande son. En 1928, Mickey tint la vedette dans le premier film d'animation avec son synchro, *Steamboat Willie*. Walt donna à Mickey sa voix de fausset. Minnie débuta dans ce film, lorsque Mickey la tira à bord à l'aide d'une gaffe accrochée à ses sous-vêtements.

Gloire et fortune

Steamboat Willie et ses vedettes connurent un immense succès. Dans certains pays, le nom des personnages fut changé. En Italie Mickey fut baptisé Topolino – ce n'est pas une coïncidence si Fiat donna à sa petite voiture le même nom.

Le rêve était devenu réalité. La qualité de la production du studio, l'attention portée aux détails, le talent des artistes et le perfectionnisme de Disney avaient porté le film d'animation vers de nouvelles hauteurs. Disney avait également acquis le respect des réalisateurs de «vrais» films. Ceux-ci s'inspiraient de ses productions et le public en raffolait.

Contrepoint de la personnalité essentiellement enjouée de

Mickey, Donald Duck apparut en 1934. Vêtu d'un costume de marin, le canard, malicieux, irascible et vaniteux, devint plus populaire que la souris.

Disney fut un pionnier de l'utilisation de la couleur avec *Flowers and Trees* en 1933 et certaines des *Silly Symphonies* réalisées au cours des années 30. Les paysages de conte de fée de ces histoires donnaient déjà une idée de ce que seraient les futurs parcs.

Blanche-Neige

Disney était désormais prêt à se lancer à l'assaut du sommet, en dépit des comptables effrayés par les coûts de son projet: le premier long métrage d'animation, *Blanche-Neige et les Sept Nains*. La qualité de réalisation qu'il avait en tête nécessitait des ressources artistiques raffinées. Faire un film de 83 minutes ne représentait pas seulement dix fois plus de dessins et de «cellos» peints qu'un court métrage de huit minutes; les personnages humains devaient avoir la fluidité de mouvement des acteurs réels. Disney engagea 300 artistes (portant leur nombre à 750); il fallut deux ans pour mener le projet à terme.

Le film fut enfin fini. La première de *Blanche-Neige et les Sept Nains* eut lieu à la fin de 1937 à Hollywood, devant un parterre de stars: la première première organisée pour un film d'animation. Ce public fut enchanté, partagé entre rire et larmes. Le film eut un succès colossal et reçut un *Academy Award* spécial: un grand oscar entouré de sept petits. Vint ensuite *Pinocchio*, en 1940, encore plus complexe et brillant.

La même année, Disney se lançait dans la direction de *Fantasia*, une succession de scènes inspirées par des musiques de Bach, Beethoven, Tchaïkovski, Stravinski etc. Mickey tient le rôle-titre dans l'œuvre de Dukas, *L'Apprenti sorcier* dont les prétentions à la toute puissance libère des forces qu'il ne peut maîtriser. C'était presque une métaphore de la guerre qui venait d'éclater en Europe. Réquisitionnés, les Studios Disney réalisèrent alors des films destinés pour les forces armées. Les *GI* adoptèrent l'agressif Donald, vêtu d'un uniforme de commando, comme mascotte.

Le rêve en marche

Après la fin de la Deuxième Guerre mondiale, Disney réalisa *La Mélodie des mers du Sud* qui combine action réelle et animation. Cette production fut suivie par nombre de films avec acteurs, tels *L'Ile au Trésor*, *20 000 Lieues sous les Mers* et *Les Robinsons suisses*, dans lesquels allaient être puisées des idées pour les parcs. Les longs métrages des années 50, *Cendrillon*, *Alice au pays des merveilles*, *Peter Pan* et *La Belle au bois dormant*, furent aussi source d'inspiration.

Walt Disney avait toujours aimé les parc d'attractions; mais lorsqu'il y accompagnait ses filles, il les trouvait délabrés et sans imagination. Les exploitants recherchaient l'argent facile, quand ils n'étaient pas simplement malhonnêtes. Depuis les années 30, Disney rêvait de construire un parc d'attractions à son idée.

En 1947, son médecin lui conseilla de se reposer un peu, ce qui, pour Walt, signifiait simplement se lancer dans un projet différent: un train miniature développé jusqu'aux limites de l'espace disponible… ou un parc thématique pour lequel il aurait toute la place qu'il pourrait désirer. Il soumit le projet à son frère Roy qui, plus prudent, refusa d'investir plus de 10 000 dollars de l'argent des studios dans cette «idée de fou». Walt Disney emprunta alors l'argent lui-même.

En 1952, il avait fondé une société, la WED (ses initiales), et tracé les grandes lignes du projet. Il acquit 65 hectares de terres à Anaheim, à la lisière sud de Los Angeles. Il pouvait maintenant construire un train miniature, mais aussi créer un «Disneyland» tout entier et le peupler des personnages de ses films. Ses décorateurs conçurent Disneyland comme un décor de théâtre où les visiteurs passeraient de scène en scène ainsi que les vedettes du spectacle. C'était plus qu'un parc d'attractions ou une fête foraine. Il n'y avait jamais rien eu de comparable.

L'inauguration eut lieu le 17 juillet 1955 et fut un succès retentissant: une véritable marée humaine envahissait le parc, et plus de 400 000 visiteurs vinrent la première année, pour atteindre les 10 millions par an;

le nombre d'attractions doubla et les cadres apprirent à manier ces foules. Pourtant, Disney n'était pas entièrement satisfait: fast-food et boutiques avaient fleuri à la périphérie du parc et privaient les Walt Disney Productions de revenus légitimes.

Un nouveau monde en Floride

Walt Disney était déterminé à ne pas faire deux fois la même erreur. En prospectant dans le sud-est des Etats-Unis à la recherche d'un site pour un nouveau parc, il posa comme conditions préalables de disposer de grands espaces, d'un climat ensoleillé et de bonnes communications routières et aériennes. Ses «éclaireurs» lui dénichèrent ce qu'il recherchait en Floride centrale, près d'Orlando. Les acquisitions de terrain se firent par prête-noms interposés; en 1964, 11 000ha avaient été achetés pour la somme de 6 millions de dollars. Si l'information que Walt Disney était derrière ces transactions avait filtré, les prix auraient crevé le plafond (quand cela se produisit, les prix centuplèrent en une nuit).

Disney planifia le parc selon les mêmes principes que celui de Californie, mais en plus grand. Mais son rêve consistait en une «cité du futur, réaliste et vivante»: EPCOT (*Experimental Prototype Community of Tomorrow* – Communauté expérimentale prototype de l'avenir). Pour présenter son projet aux industriels et aux habitants de Floride, il réalisa un film; ce fut là sa dernière réalisation. En décembre 1966, il mourait subitement, emporté par un cancer des poumons.

Roy Disney n'avait pas toujours adopté pleinement les idées de son cadet, mais les deux frères avaient depuis peu mis une sourdine à leur antagonisme. Il devint président des Walt Disney Productions. Sur sa suggestion, le projet de parc en Floride fut baptisé Walt Disney World – un vibrant hommage à son frère.

La préparation du site débuta en 1967 et la construction en 1969. En octobre 1971, le Magic Kingdom ouvrit ses portes. Cette fois, les visiteurs pouvaient se loger, se restaurer et se distraire sans quitter le domaine. Tout le monde, des cadres supérieurs aux membres de la distribution, dut mettre la main à la pâte; une tradition se créait.

EPCOT mit plus de temps à voir le jour, car il était difficile de concilier l'«harmonieuse communauté» avec un tel flux de visiteurs. L'EPCOT, inauguré en 1982, a un peu l'aspect d'une Expositon universelle avec un double centre. Le Future World est la célébration de la technologie voulue par Walt Disney; très différente, la World Showcase comprend les pavillons de plusieurs nations. L'un et l'autre sont fidèles à la maxime de Walt: «Mieux vaut distraire les gens en espérant leur apprendre quelque chose, que les éduquer avec l'espoir qu'ils y prendront du plaisir.»

Le Disneyland de Tokyo fut ouvert en 1983 et connut un succès immédiat. Les parcs devenaient une activité plus importante que les films. Le coût d'EPCOT et le manque de succès cinématographiques laissèrent présager un rachat de la compagnie. L'année 1984 fut mouvementée. Est-ce un hasard si les 50 ans de Donald coïncidèrent avec un sursaut de la compagnie et le début d'une ère nouvelle?

Retour au sommet

Michael Eisner devint président-directeur général et Frank Wells président. La famille Disney était toujours représentée, puisque Roy E. Disney, le fils de Roy, prit la tête de l'animation. Les succès s'enchaînaient, ainsi que les nouvelles séries télévisées et le renouvellement des contrats de patente pour les produits Disney. Eisner signa un accord avec le gouvernement français en vue de la construction, à l'est de la capitale parisienne d'Euro Disneyland; le parc ouvrit ses portes en avril 1992.

Les attractions du Walt Disney World ont augmenté avec l'ouverture, en 1989, du Typhoon Lagoon, de Pleasure Island, de nouveaux grands hôtels et d'un troisième parc, qui symbolise le retour de la compagnie à l'industrie du cinéma. Baptisé Disney-MGM Studios, il dispose de plateaux de tournage, de studios de télévision et d'un département d'animation, où furent créées des séquences de *La Belle et la Bête* et d'*Aladin*, longs métrages dans la meilleure tradition de Walt Disney.

Que voir

Le Walt Disney World Resort

Le Walt Disney World Resort se compose de trois énormes parcs thématiques et de plusieurs autres attractions majeures. Il y a aussi beaucoup à faire au-delà des limites du Disney World. Un plan d'action s'impose donc, surtout si c'est votre première visite ou si vous n'avez que peu de temps. Sans vous conseiller d'adopter un emploi du temps rigide, nous vous recommandons de bien planifier votre visite.

Abandonnez l'idée de «tout voir». A l'aide du présent ouvrage et des publications du Walt Disney World, commencez par choisir les parcs que vous désirez visiter, puis les parcours et les attractions qui vous attirent le plus. Vous trouverez, dans Berlitz-Info (pp. 115-141), des détails sur les transports, les premiers secours, les objets trouvés, etc., mais sans attendre, voici quelques conseils pour bien «aborder» le Walt Disney World.

Quelques conseils

Les périodes d'affluence sont Noël et le début de janvier, les semaines avant Pâques, de la mi-juin à la fin août et les long week-ends américains, tels que le *Thanksgiving*, fin novembre. L'hiver, en Floride centrale, est très agréable. Il fait chaud et humide en été, mais vous pouvez vous rafraîchir dans les piscines des hôtels et les parcs aquatiques la journée et sortir le soir. Il n'y a pas de mauvaise période pour visiter Disney World.

Des billets 1-jour/1-parc sont disponibles, mais une aussi courte visite n'est pas recommandée. Si vous ne disposez que d'une journée, portez votre choix sur un seul parc. Ce n'est pas par hasard si Disney World propose des billets forfaitaires 4- et 5-jours et rien pour des périodes plus courtes. Ces billets ne sont pas obligatoirement utilisables pendant des journées consécutives.

Mais quel parc faut-il visiter en priorité? Le plus ancien, le **Magic Kingdom**, est celui auquel on pense quand on parle du Walt Disney World. Vous descendrez la reluisante Main Street, USA, jusqu'au six autres parcs: Adventureland, Frontierland, Liberty Square, Fantasyland, Mickey's Starland et Tomorrowland. C'est au Magic Kingdom que vous aurez le plus de chance de voir les personnages de Disney, bien qu'ils fréquentent aussi les autres parcs.

Les amateurs de cinéma seront naturellement attirés par les nouveaux **Disney-MGM Studios**, qui ont quelque chose à offrir à tous, quel que soit leur âge. Les productions de Disney ont inspiré des parcours tels que *La Belle et la Bête* et *Le Voyage de la petite Sirène*. Vous verrez les cascades des films d'Indiana Jones et monterez dans le simulateur

Plan en 8 points pour bien user de votre temps

1. Faites un choix de parcours et d'attractions pour chaque parc. Muni d'un plan, établissez votre itinéraire.
2. Achetez à l'avance les billets d'entrée (ou les *passes*) dans les hôtels Disney ou dans votre agence de voyage.
3. Arrivez avant l'ouverture des portes. Vous pourrez ainsi profiter au maximum de votre billet.
4. Vérifiez dans la brochure *Entertainment Schedule*, l'horaire des parades et des événements spéciaux.
5. Evitez la ruée de midi en déjeunant plus tôt ou plus tard.
6. Ne faites vos achats qu'après les manèges.
7. Assistez aux visites à l'intérieur et aux spectacles «assis» en début d'après-midi. Les salles sont climatisées.
8. Prenez des temps de repos, quitte à rentrer à l'hôtel pour une sieste et revenir ensuite. Faites temponner votre main afin de pouvoir être réadmis.

de vol Star Tours pour un voyage étourdissant inspiré par *La guerre des étoiles* de George Lucas. Dans les coulisses, vous pourrez voir des tournages de productions pour la télévision et le cinéma et vous pencher par-dessus les épaules d'artistes travaillant sur un film d'animation.

L'**EPCOT Center** intéresse davantage les enfants plus âgés et les adultes. Il a pour but d'être un peu plus sérieux, mais ses créateurs n'ont pas pu résister à la tentation d'y ajouter une dose d'humour. Cet immense parc comprend deux zones, Future World et World Showcase. Le premier célèbre les mondes de l'énergie, de la santé, des voyages, des communications, de la terre, des océans et de l'imagination; le second, le World Showcase présente les cultures, produits et cuisines de onze pays.

Les attractions principales du Walt Disney World sont aussi décrites dans ce guide: voir Typhoon Lagoon (p. 58), River Country (p. 59), Discovery Island (p. 60) et Pleasure Island (p. 108).

Le Magic Kingdom

Si vous résidez dans l'un des centres de loisirs Disney desservi par le monorail, c'est le moyen le plus rapide de gagner le Magic Kingdom. Sinon, prenez un bus Disney. Si vous arrivez par vos propres moyens on vous dirigera vers le parking. Les résidents des hôtels ou campings Disney se garent gratuitement sur présentation de leur *ID card* (carte d'identification). Les autres devront conserver leur ticket: il est valable toute la journée.

Notez bien l'endroit où vous laissez votre véhicule: les zones portent un nom et les rangées sont numérotées (mais pas les emplacements).

A pied, si vous êtes tout proche, ou dans un de ces petits trains tirés par un tracteur, rendez-vous au **Transportation and Ticket Center** (TTC) où vous pourrez vous procurer un billet 1-jour pour le Magic Kingdom ou un billet forfaitaire «multiparcs» 4- ou 5-jours. Pour aller du parking au parc vous avez le choix entre un ferry-boat (pouvant contenir 600 passagers) et un monorail; de toute manière, le trajet ne dure que quelques minutes.

MAIN STREET, USA

Au-delà des voies et de la gare du Disney World Railroad, s'ouvre le **Town Square**, version idéalisée du centre d'une petite ville bien américaine en l'an 1900. La place bourdonne d'activité de 8h du matin à la fermeture du parc, avec des fanfares et des personnages de Disney accueillant les visiteurs et signant des autographes.

De l'autre côté de la place, à votre droite en entrant, une présentation de 23 minutes, ***The Walt Disney Story***, est projetée. Le narrateur en est Walt Disney en personne, grâce aux 75 heures d'interview qu'il a accordées sur une période de 25 ans. Dans le foyer sont exposées des photos, des lettres, et certaines des récompenses qu'il a reçues. En sortant, vous traverserez la boutique **Disneyana Collectibles**, où vous pourrez acheter des «cellos» de dessins animés peints à la main et des reproductions à tirage limité.

Dans les manèges high-tec, vous pouvez être sûr d'une chose: attendez-vous à l'inattendu.

Vous pouvez aussi y faire vos réservations pour le spectacle «western» du Diamond Horseshoe Jamboree, dans Frontierland (voir p. 26). Si vous comptez y aller, il faudra vous inscrire très à l'avance.

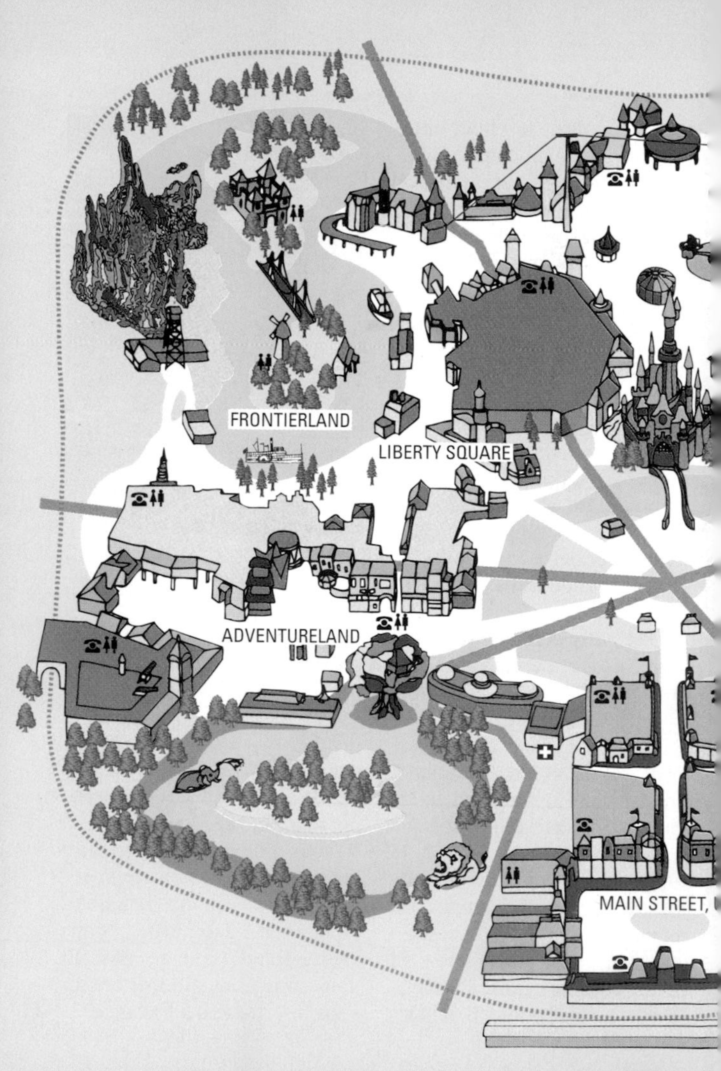

FRONTIERLAND
LIBERTY SQUARE
ADVENTURELAND
MAIN STREET, U

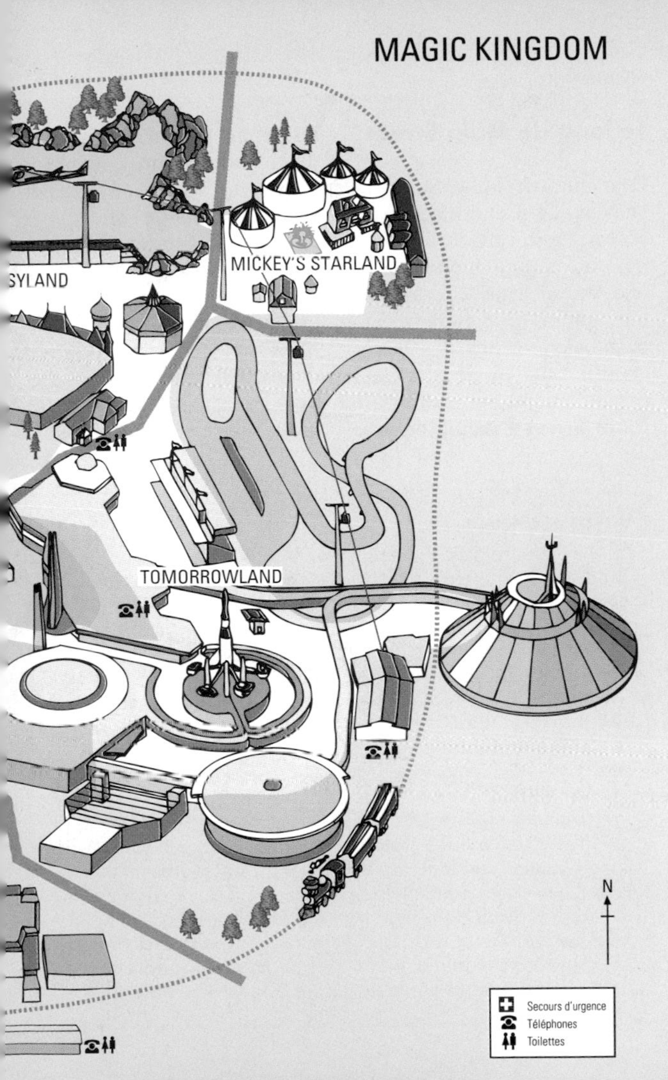
MAGIC KINGDOM
MICKEY'S STARLAND
SYLAND
TOMORROWLAND
N
Secours d'urgence
Téléphones
Toilettes

Le long de Main Street

Pour aller de Main Street au château de Cendrillon, vous pouvez soit prendre l'omnibus, un chariot hippomobile, une voiture sans chevaux ou une voiture de pompiers, soit déambuler le long des boutiques et d'une ou deux anciennes attractions. Sur la droite, le **Main Street Cinema** projette en permanence des classiques du cinéma comique, y compris *Steamboat Willie*, le premier grand succès de Mickey et dans lequel Minnie fit sa première apparition. Bien qu'il ait une bande sonore, le film est projeté dans le silence, car six films se déroulent en même temps tout autour de la salle. Pour cette même raison, vous devez vous tenir debout.

A vos marques...

Si vous avez assisté au départ du Marathon de Boston ou de Londres, vous saurez déjà à quoi ressemble un «**lâcher de corde**» (*rope-drop*); cependant, nombre des coureurs qui participent à ces épreuves sont vêtus de la même façon, tandis que les lève-tôt du Magic Kingdom forment la foule la plus variée et bariolée que vous puissiez imaginer.

Au bout de Main Street, les concurrents ont une heure pour se rassembler entre l'ouverture de l'entrée principale et l'ouverture officielle; une simple corde les empêche de partir. Et pourtant, personne ne pousse. Qu'est-ce qu'il y a à Walt Disney World qui rend les gens si bien élevés?

A 9 heures précises, des employés coupent la corde en deux et la tirent de côté. (Autrefois, ils la faisaient tomber, mais les concurrents risquaient de trébucher.) Des représentants de toute l'humanité, conduits par les plus agiles, passent comme des flèches avant de se séparer en trois groupes: gauche, droite et centre. Ceux de gauche se dirigent vers Frontierland, ceux du centre vont aux attractions de Fantasyland, et la charge de la brigade de droite part pour Space Mountain.

De l'autre côté de la rue, au bout d'une petite allée, on vous fera la barbe et les cheveux, comme autrefois, à l'**Harmony Barber Shop**. Une fois sur deux, un quatuor vous y divertira de ses mélodies romantiques. Le **Main Street Book Store** propose une très grande collection de cartes, des ouvrages sur le cinéma et quantité de livres pour enfants basés sur les films de Walt Disney. A la **Penny Arcade** toute proche, l'ingéniosité technique des cent dernières années permet de s'amuser pour un *penny* (un *cent*), un *nickel* (cinq *cents*), un *dime* (dix *cents*) ou un *quarter* (25 *cents*). Certains adultes retrouveront avec nostalgie les bilboquets de leur enfance, même si les jeunes, qui ont fait leur dents sur des jeux électroniques, les considèrent comme de bizarres reliques.

La **Plaza** circulaire, entourée d'eau, est le moyeu du Magic Kingdom d'où rayonnent les ponts et les chemins qui mènent aux différents *lands*. Les jours de grande affluence, même si vous avez raté le «lâcher de corde» (voir p. 24), essayez d'éviter la ruée en visitant les attractions les plus populaires en premier: la Space Mountain de Tomorrowland (voir p. 35), la Splash Mountain et Big Thunder dans Frontierland (p. 28). Les petits peuvent accompagner leurs parents chez Dumbo l'éléphant, à Fantasyland (p. 30).

Pour ce guide, nous avons choisi de commencer par Adventureland et de poursuivre la visite dans le sens des aiguilles d'une montre.

ADVENTURELAND

La **Swiss Family Treehouse** (la maison des Robinsons suisses) est probablement la plus grande que vous ayez jamais vue; elle est construite dans les branche d'un banian qui est presque une forêt à lui tout seul (vu les risques d'incendie, l'arbre est en béton et ses feuilles en matière synthétique). Par un escalier en colimaçon, vous grimpez à travers la demeure des naufragés et constatez combien ils ont perfectionné leur habitation après la catastrophe.

La végétation de la **Jungle Cruise**, elle, est bien réelle et requiert beaucoup de soin pour la maintenir en bon état, même pendant l'été de Floride. Les lions rugissent, les girafes, les hippopotames et les éléphants au bain sont très convaincants et votre bateau vogue au travers de tous les dangers de la forêt équatoriale d'Amazonie, en but à l'hostilité des natifs.

La géographie semble perdre le nord car, en traversant les plaines d'Afrique, vous apercevez un temple cambodgien, pendant que le capitaine fait un commentaire amusant. Sur l'autre rive, dans la **Tropical Serenade**, les oiseaux du Tiki enchanté, abrités dans une pagode balinaise, sont une des premières œuvres de la technologie «*Audio-Animatronics*».

Jouissant d'une popularité jamais démentie, les **Pirates des Caraïbes** se jettent à l'assaut du fort d'une île, des premiers bombardements aux beuveries de la victoire. Votre bateau traverse la bataille qui fait rage. Le réalisme est très soigné et les jeunes enfants peuvent être effrayés par les scènes de pillage et de destruction. La manière dont les boucaniers traitent les femmes captives manque de galanterie. Préparez-vous à subir un choc!

Quelques pas suffisent à vous ramener en face du château de Cendrillon, d'où vous prendrez une petite rue bordée de boutiques et de snack-bars avant de tourner une nouvelle fois vers la gauche. Il existe également un raccourci très pratique par l'allée en face de la maison des Robinsons suisses. D'une manière ou d'une autre, vous atteindrez rapidement ce bon vieux Far West.

FRONTIERLAND

Il s'agit bien sûr de la «frontière» du Far West au XIXe siècle, avec ses chercheurs d'or et ses *cow-boys*. Les acteurs sont vêtus ici de denim et de fichus, de bonnets et de tissus à carreaux. L'architecture va des maisons de rondins aux façades tarabiscotées. La végétation elle-même a été corrigée par souci d'authenticité.

Le **Diamond Horseshoe Jamboree**, plusieurs fois par

Les parades

Chaque jour au **Magic Kingdom**, la **parade de l'après-midi** (vers 17h), dans un style de carnaval, avec des personnages de Disney hauts de 5 étages, défile le long de Main Street en passant par Liberty Square et Frontierland. Presque tous les soirs (20h ou 21h l'été avec parfois un spectacle supplémentaire à 23h), la parade électrique **SpectroMagic** emprunte la même route. Elle est éclairée avec des effets laser et fibres optiques, des immenses hologrammes et une explosion de couleurs, tentant les photographes qui essaient de lui rendre justice. La Plaza, le centre de Magic Kingdom, est un bon endroit pour regarder passer ces défilés. Le Town Square en est un autre – principalement la Walt Disney World Railroad Station et ses marches – et est mieux placé si vous avez prévu de quitter le parc immédiatement après la parade.

Les meilleurs places sont prises d'assaut très tôt, mais il serait dommage de vous y installer à l'avance si vous n'avez pas longtemps pour visiter le parc. Les soirs d'été, une petite fortune de **feux d'artifice** part en fumée à 20h.

jour, se déroule devant des salles combles. Ses 30 minutes de chansons, danse et comédie sont enlevées avec verve par une distribution extraordinaire. Achetez les billets à l'avance, tôt le matin, à l'accueil de la Disneyana Collectibles Shop, Town Square (voir p. 21).

Il n'y a ni balle, ni plomb, à la **Frontierland Shootin' Arcade**, mais des rayons infrarouges. A ce détail près, on se croirait à Tombstone Arizona à l'époque des chasseurs de prime. Les effets déclenchés par les gâchettes et la sonorisation recréent le sifflement des balles et les hurlements des coyotes. Pour que vous ne monopolisiez pas le jeu, 25 cents sont perçus pour chaque «jeu».

Un peu plus bas, du même côté de la rue, au **Country Bear Jamboree** (ou «Vacation Hoedown»), de rustiques ours

«Audio-Animatronics» donnent un spectacle de 15 minutes hilarantes qui ravira les fans de musique country.

Deux des collines les plus élevées de Floride se trouvent ici, au Magic Kingdom, qui n'était autrefois que plates étendues marécageuses. Votre bateau grimpe sans fin sur l'eau des pentes de la **Splash Mountain** (la montagne aux éclaboussures); la montée aiguise votre attente. Chemin faisant, vous pouvez voir des scènes tirées de la *Mélodie des mers du Sud*, une production Disney mêlant animation et action réelle. Finalement vous émergez, apparemment suspendu dans l'espace, à la hauteur d'un immeuble de cinq étages, avant de dévaler une pente à 45% (elle semble verticale) vers un bassin bordé de bruyère, cinq étages plus bas. Gare aux éclaboussures… et à votre appareil-photo. Sujets sensibles au vertige s'abstenir. Il est d'ailleurs d'autres restrictions: par exemple, les personnes souffrant de problèmes de dos ou de nuque devraient éviter de s'embarquer.

Les mêmes restrictions s'appliquent au **Big Thunder Mountain Railroad** (le train de la montagne du grand tonnerre). Cette attraction est plus amusante qu'effrayante. Pas de chute comme sur la Splash Mountain et rien d'aussi violent que sur la Space Mountain (voir p. 35). Les barres de sécurité ne sont toutefois pas là pour simple but décoratif.

Des équipements de mine jonchent les pentes de la colline et des os de dinosaures dépassent du sol, le long de la voie ferrée. Vous grimpez vers le sommet, avant d'être précipité à toute vitesse dans une succession de virages, et de regagner la «sécurité» de la gare.

La **Tom Sawyer Island** (l'île de Tom Sawyer) n'est accessible qu'en radeau. Elle contraste avec le reste du Magic Kingdom car moins encadrée: les enfants peuvent y courir, faire feu avec les armes du fort Sam Clemens, se lancer sur des ponts branlants et explorer cavernes et passages secrets. Cette expédition prend du temps, réservez-la pour une autre fois. L'île ferme au crépuscule.

LIBERTY SQUARE

Des cabanes en bois de l'Ouest sauvage, vous remarquerez, de l'autre côté de la rue, un bâtiment plus élégant, visiblement de l'époque coloniale. Dans ce **Hall des Présidents**, tous les présidents des Etats-Unis, depuis George Washington, retrouvent la vie. Chacun d'eux vient faire une révérence sur la scène, mais si vous jetez un coup d'œil sur les autres pendant que se déroule la cérémonie, vous les verrez se tourner et bavarder entre eux. Leurs mouvements sont incroyablement réalistes – plus encore que leur visage, si l'on en juge d'après les derniers présidents. Le spectacle commence par la projection sur cinq écrans d'une histoire édulcorée de la Constitution américaine. Les meilleures places sont au fond.

Le bon sens commande de choisir, parmi les différents bateaux qui circulent sur les **Rivers of America** (rivières d'Amérique) celui qui a la file d'attente la moins longue. Habituellement, c'est le **Liberty Square Stern Wheeler** qui fait revivre les beaux jours des bateaux à vapeur; ou bien un des **Mike Fink Keelboats**, baptisés d'après un capitaine américain d'autrefois. Quel que soit votre bateau, vous suivrez le même cours tranquille, le long du même décor de forêt, avec ses animaux et les événements qui se déroulent occasionnellement sur la rive.

Des étoiles – mais pas filantes – comme s'il en pleuvait.

En guise de contraste, donnez-vous des frissons à la **Haunted Mansion** (le manoir hanté) et comptez, si vous le pouvez, les 999 fantômes bondissant hors de l'obscurité. Tout cela est plein d'humour, mais à déconseiller aux jeunes enfants et aux personnes sensibles. Vous vous demanderez comment sont obtenus les effets spéciaux – la salle de bal hantée, par exemple, où des couples de revenants tourbillonnent en une valse éternelle. La réponse tient en un mot: holographie. A la fin de la visite, les fantômes vous réservent un tour dont nous ne gâcherons pas la surprise.

FANTASYLAND

Walt Disney avait un rêve: que les contes de fées deviennent réalité. C'est pourquoi ce *land* est véritablement le cœur du Magic Kingdom. Les maisons miniatures sortent tout droit des classiques de Disney.

Plusieurs fois par jour (voir l'*Entertainment Schedule*), un spectacle musical est présenté sur la **Castle Forecourt Stage**, au bord de la Plaza. Bon nombre des mélodies sont tirées des films de Disney et les personnages prennent part à la danse.

Ne vous attendez pas à des sensations fortes de la visite du **Cinderella Castle**: c'est le château de Cendrillon; mais ne manquez pas d'admirer les fines mosaïques inspirées du dessin animé de 1950. Même si vous ne mangez pas au château, n'hésitez pas à gravir les marches du grand escalier jusqu'à la salle de banquet du roi Stéfan. Le château est un bon repère, car il s'élève à 55m de haut, soit plus du double de la hauteur de son prédécesseur, le château de la Belle au bois dormant, à Disneyland.

Après des tonnelles, et en allant tout droit, vous découvrirez l'attraction la plus traditionnelle du Magic Kingdom, le **Cinderella Golden Carrousel**, installé au delà de la voûte, est un manège de 90 chevaux, méticuleusement restauré. A côté, sous les câbles de Skyway, des copies de **Dumbo l'éléphant volant** tournent en s'élançant vers le ciel: les cavaliers contrôlent la hauteur. Le cornac de Dumbo, Timothy Mouse, dirige les opérations depuis le sommet du ballon central. L'attraction est très appréciée des tout-petits, mais la capacité en est limitée et l'attente est longue aux heures d'affluence.

Vous n'avez peut-être pas vu, à gauche en passant sous la voûte, le **Magic Journeys**. Ce cinéma propose des films en trois dimensions que l'on regarde avec des lunettes polarisantes, et dont le réalisme est remarquable: il est difficile de ne pas broncher quand des objets volent vers vous. Donald en partage la vedette avec les effets spéciaux.

En sortant de la voûte, tournez vers la gauche vers l'entrée du **Peter Pan's Flight** (le vol de Peter Pan), inspiré du livre de J. M. Barrie et du film d'animation de 1953. De minuscules galions volants vous emmènent de Londres à l'île enchantée où le capitaine Crochet trame ses mauvais coups.

Un pavillon étincelant d'or et d'argent renferme le charmant et désarmant **It's a Small World** (le monde est petit), «la plus heureuse des croisières». On ne peut s'empêcher de sourire devant les centaines de poupées, vêtues de costumes folkloriques de tous les coins du monde, qui chantent et dansent sur une mélodie qui vous reste longtemps dans l'oreille.

Dans le **Lagoon**, vous plongerez à bord du *Nautilus*, le sous-marin du célèbre capitaine Nemo, dans la grande aventure de **20 000 Lieues sous les mers**. Si vous avez lu le livre, ou vu le film de Disney, vous vous souviendrez de l'attaque de la pieuvre géante, et de Nemo jouant de l'orgue. S'il y a de l'attente (ici, la queue avance lentement), revenez de nuit lorsque les effets – récifs artificiels, glace polaire, la ville engloutie d'Atlantis – sont encore plus saisissants.

Blanche-Neige et les Sept Nains fut le tout premier long-métrage d'animation réalisé par Walt Disney (voir p. 14); on admit, à l'époque, que certaines scènes pouvaient effrayer les enfants. Ceci est vrai des **Snow White's Adventures** (les aventures de Blanche-Neige): votre wagonnet roule dans la forêt obscure et la sorcière vous attaque entre deux tentatives pour s'emparer de l'héroïne.

Les deux derniers parcours de Fantasyland se trouvent au-delà de l'embarcadère du sous-marin. *The Wind in the Willows* raconte comment l'insouciant M. Toad vola une voiture et se trouva embarqué dans une course folle à travers la campagne anglaise. Dans **Mr Toad's Wild Ride**, vous vous joindrez à lui pour un mélange de train-fantôme et de poursuite, côtoyant le désastre à chaque virage. Personnes nerveuses ou très jeunes s'abstenir.

Dans la **Mad Tea Party**, vous aurez partiellement le contrôle de la situation, car vous pouvez faire tourner les tasses géantes plus ou moins vite. L'idée est tirée d'un film d'animation réalisé en 1951 par Walt Disney et pas directement du livre de Lewis Caroll, *Alice aux pays des merveilles*. Le manège est la variante d'une classique de fête foraine et, à l'instar de Dumbo, ne peut accueillir qu'un nombre limité de personnes à la fois.

MICKEY'S STARLAND

Lorsque l'intemporelle souris a fêté son 60e anniversaire, un nouveau *land*, entièrement inédit dans le Magic Kingdom, fut ouvert pour commémorer l'événement: le pays des étoiles de Mickey.

Contrairement aux autres *lands*, celui-ci ne touche pas à la Plaza. **Duckburg** la petite ville de dessin animé, se trouve à l'écart, entre Fantasyland et Tomorrowland; si vous ne la

Temps d'arrêt

Vous n'êtes peut-être pas un fan de Mickey, mais à Mickey's Starland, cela vaut mieux. En effet il est partout, signant des autographes et posant avec ses invités, tantôt souhaitant la bienvenue, l'instant d'après préparant le petit déjeuner ou montrant ses grandes oreilles à Town Square.

Rien ne sert de lui demander comment il fait: il ne parle jamais, sauf dans ses films, quand Walt Disney lui prête sa voix.

cherchez pas, vous pourrez la manquer (un moyen sûr d'y parvenir est de prendre le train Disney à Town Square ou à Frontierland Station).

La maison de Mickey (**Mickey's House**) est aménagée comme le musée de sa carrière. Sortez par la porte de derrière, traversez la cour et pénétrez sous le chapiteau; quelques vidéos sont destinées à vous faire patienter. Bientôt, vous serez invité à entrer dans un chapiteau plus vaste où se donne un spectacle de musique et de comédie, le **Starland Show**. Toute une ribambelle de personnages de Walt Disney – Tic et Tac, l'Oncle Picsou, Flairsou et les autres – y font leur apparition.

La sortie se fait par une grande boutique de souvenirs qui débouche sur la porte du **Mickey's Hollywood Theatre**. Mickey lui-même y est dans sa loge. Seul un petit groupe peut s'y trouver à la fois, mais vous pouvez demander à un hôte ou une hôtesse la durée probable de l'attente et agir en conséquence.

De l'autre côté de la grand-rue de Duckburg, la **Grandma Duck's Farm** (la ferme de grand-mère Donald) est toute bruissante de vie, avec des poussins, des chèvres, des porcelets et Minnie Moo, la vache marquée sur le flanc d'une tête de Mickey – oui, oui, avec les

Dans le monde des parcs thématiques, on peut devenir n'importe qui ou n'importe quoi!

oreilles! Le propriétaire de Minnie Moo, un éleveur du Wisconsin, ayant envoyé une photo de l'animal à la société Disney, celle-ci ne put que faire l'acquisition du ruminant. La petite ferme sert de foyer à quelques jeunes animaux, que les enfants peuvent caresser à travers les barrières. Les jeunes fermiers qui s'en occupent seront heureux de répondre – en anglais! – aux questions.

TOMORROWLAND

Si vous avez descendu Main Street, tournez à droite; c'est presque le terme de notre voyage à travers Magic Kingdom.

Tomorrowland est pour ceux qui n'ont peur de rien. Space Mountain (voir p. 35) est un curieux mélange de parcours destiné à tous les âges. Les jeunes enfants aiment conduirent les bolides sur la piste en huit du **Grand Prix Raceway**. Ils les contrôlent, avec une pédale de frein et un accélérateur, à petite vitesse. Une glissière de sécurité garde les voitures en ligne, rendant ainsi le volant quelque peu superflu.

La **Mission to Mars** est rejetée d'un méprisant «technologie désuète» par les fans de simulateurs modernes (attitude paradoxale puisque l'homme n'a pas encore foulé le sol de Mars). Vous aurez néanmoins l'étrange sensation de foncer à travers l'espace grâce à un réglage ingénieux de votre siège.

L'écran du cinéma **Circle Vision 360** vous offre *American Journeys* (les voyages américains). Les images sont projetées autour de vous par neufs projecteurs. Les caméras ont été placées sous un hélicoptère survolant le Grand Canyon, sur le toit d'un camion roulant dans New York ou près de la rampe de lancement de la navette spatiale. Le film de 20 minutes se regarde debout et il faut tourner la tête pour voir ce qui se passe dans son dos.

Dreamflight raconte l'histoire de l'aviation avec des maquettes, des films, un tour du monde et les prédictions des voyages de demain.

Survolez le Magic Kingdom dans les voitures câblées de **Skyway,** ou bien prenez le **WEDway PeopleMover** pour visiter Tomorrowland dans un moyen de transport futuriste propulsé par un moteur à induction linéaire sans friction (ne posez pas de question). Ceux qui le prendront pourront entrevoir les montagnes russes de Space Mountain.

Remarquable point de repère, les **StarJets**, volant en cercle autour d'une tour fuselée, sont une version amusante d'un classique manège pour jeunes ou pour parents avec enfants. Un théâtre tournant appelé **Carousel of Progress** vous entraîne, vous et une famille «*Audio-Animatronics*» dans un tour divertissant de 20 minutes à travers un siècle de gadgets. Le **Tomorrowland Theatre** présente des spectacles musicaux; parfois il s'agit du spectacle donné sur la Castle Forecourt Stage (consultez l'*Entertainment Schedule*).

Où que vous soyez dans Tomorrowland, vous pourrez entendre, en provenance de la **Space Mountain**, les cris des passagers terrifiés par les montagnes russes: plongés dans l'obscurité totale, ils sont lancés dans une série de virages qui tient du test de sélection pour astronautes. Abstenez-vous si vous avez des problèmes de dos ou de nuque, si vous mesurez moins de 1m10, ou si vous êtes enceinte. La barre abaissée au-dessus de vos épaules assure votre sécurité, mais pas celles de vos affaires personnelles. En dépit des avertissements, ce sont par douzaines que chapeaux, lunettes et sacs à main tombent chaque jour sous la montagne russe, aussi mettez les vôtres de côté et accrochez-vous à vos appareils-photos.

Les wagonnets ne dépassent guère la vitesse de 45km/h. La force G est créée par des virages serrés, et la désorientation par l'obsurité. De nombreuses personnes avouent avoir fermé les yeux: c'est regrettable, car certains effets de lumière sont splendides et contribuent à accroître la sensation de vitesse en venant à votre rencontre.

Si, dans la queue, vous changez d'avis, bifurquez vers les applications électroniques du **RYCA 1/Dream of New World** – entre autres, celle de vous voir sur un écran de télé.

EPCOT Center

Peu de gens connaissent le sens de l'acronyme EPCOT. C'est Walt Disney lui-même qui conçut cette idée d'une «Communauté expérimentale prototype de l'avenir» (*Experimental Prototype Community of Tomorrow*): son projet était de construire un immense dôme transparent englobant toute une cité d'harmonie et de progrès. Sa mort, en 1966, survint malheureusement avant qu'il ne puisse développer les détails de son projet, et la construction d'EPCOT se fit au prix de concessions dictées par des exigences pratiques. Très tôt dans la planification, les pavillons internationaux prévus pour un site proche du Magic Kingdom devinrent le noyau de la World Showcase d'EPCOT. Le Future World prit son envol lorsque de grandes corporations américaines enthousiastes (Exxon, AT&T et General Motors) décidèrent de le sponsoriser.

EPCOT a deux entrées: une près de Spaceship Earth – la «balle de golf» visible à des kilomètres à la ronde – et l'International Gateway du World Showcase, pour les visiteurs venant des parcs d'EPCOT.

Si vous voyagez en bus Disney, il vous déposera près de l'entrée principale. Le monorail relie EPCOT au Magic Kingdom et à ses parcs après un changement au Travel and Transportation Center (TTC).

Des EPCOT *resorts* (Swan, Dolphin et Yacht and Beach Clubs), il n'y qu'une courte distance, que l'on peut parcourir à pied ou en tram-navette jusqu'à l'International Gateway, entre les pavillons de la France et de la Grande-Bretagne. (Pour mettre un terme aux discussions, le cours d'eau qui les sépare n'est appelé ni *English Channel* ni Manche.)

Si vous arrivez en voiture, on vous indiquera une place dans le vaste parking. Les rangées sont numérotées et les zones ont un nom, mais notez bien votre position. Le parking est gratuit pour les résidents des hôtels et campings Disney; les autres conserveront leur ticket, car il est valable pour toute la journée.

EPCOT CENTER

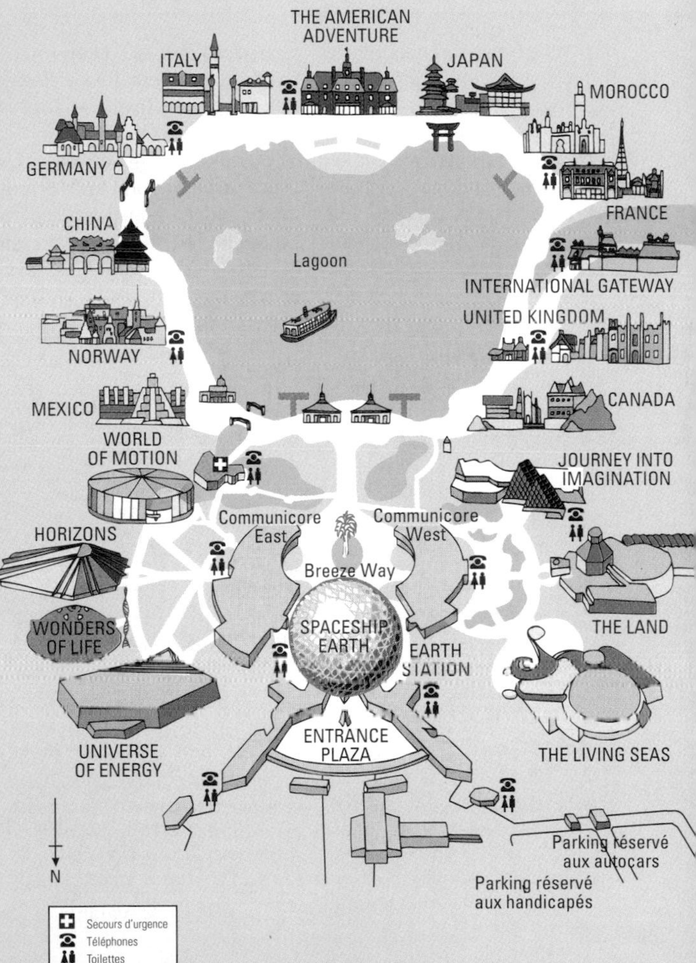

Il vous faudra acheter un billet 1-jour pour EPCOT ou un billet forfaitaire 4-/5-jours. Vous pouvez louer poussettes et fauteuils roulants juste après l'entrée; si vous hésitez, prenez en considération les longues distances que vous aurez à parcourir pour voir les deux parties d'EPCOT (que les cyniques appellent *Every Person Comes Out Tired* – Tout le monde en sort crevé).

La disposition du parc ressemble à un grand huit, orienté nord-sud. Si vous vous repérez d'après le soleil, notez que l'entrée principale est au nord.

Quelques trucs

- Habillez-vous décontracté, mais ne vous promenez pas pieds-nus ou torse-nu dans les parcs thématiques.
- Malgré l'agencement intelligent des parcs, vous marcherez beaucoup et serez souvent debout. Mettez des vêtements et chaussures confortables, et attention aux coups de soleil!
- Il est interdit d'apporter votre nourriture ou boisson dans les parcs. Il y a nombre d'endroits pour se restaurer à l'intérieur.
- Il est interdit d'utiliser le flash dans la plupart des attractions.
- Si vous voulez sortir et rentrer, faites-vous tamponner la main à la sortie. Vous aurez aussi besoin de votre billet.
- Ayez de l'argent liquide sur vous pour votre nourriture et vos boissons. Seuls les restaurants acceptent les cartes de crédit.
- Il est interdit de fumer dans toutes les attractions, les queues et les files d'attente. Les restaurants ont des zones fumeurs et non-fumeurs.
- Si vous louez une poussette (*stroller*), attachez-y un morceau de tissu voyant, ou on pourrait vous la prendre par erreur. Vous aurez ensuite un autre dilemme – prendre celle de quelqu'un d'autre avec vous ou pas! Gardez votre reçu: il est valable toute la journée.

FUTURE WORLD

Ce premier anneau du huit, le monde du futur, est une célébration des merveilles de la science et des communications, ainsi que des réalisations actuelles de la technologie, avec des prévisions pour le futur. Depuis quelques années, Future World reflète la plus grande prise en considération de l'environnement. La dimension humaine est aussi évidente, avec un intérêt marqué pour la biologie, la médecine, la santé et les exercices.

La «géosphère» de 55m de haut du **Spaceship Earth** (le vaisseau spatial Terre) est un bon point de repère. Formée de plus de 14 000 triangles en aluminium et plastique, elle est conçue de telle sorte que l'eau de pluie ruisselle à l'intérieur avant d'être évacuée vers le lac. C'est une des attractions les plus populaires d'EPCOT et la file se forme avant 9h, car elle ouvre dès 8h30. L'attente reste importante toute la journée: c'est l'attraction que les gens visitent en premier. Attendez le soir pour la visiter.

La montée en spirale du **Spaceship Earth Ride** retrace l'histoire des communications humaines depuis les dessins rupestres et les hiéroglyphes égyptiens jusqu'à l'invention de l'imprimerie, puis à l'avènement du film, de la radio, de la télévision et des satellites. Près des piliers de la sphère, l'**Earth Station** est le bureau d'information principal, d'où sont aussi centralisées les réservations pour les restaurants.

Une place circulaire sépare l'Earthship Earth des bâtiments jumeaux et incurvés du **CommuniCore**. Comme il y a peu d'attente, visitez quelques-unes des attractions les plus fréquentées au préalable.

A gauche, après l'entrée, **CommuniCore East** propose **Backstage Magic**, un historique des ordinateurs et une démonstration de leur potentiel actuel, y compris leur aide dans la gestion du «royaume des vacances», des réservations d'hôtel aux mannequins «*Audio-Animatronics*».

Guidé par Julie l'opératrice et un auxiliaire graphique «I/O» (input/output), vous ferez une visite, avec hologrammes et images superposées, du grand centre informatique d'EPCOT.

A l'**Electronic Forum**, vous pourrez exprimer votre opinion pour élire la Personnalité du Siècle, en choisissant un nom dans une liste où figurent aussi bien des leaders nationaux que des stars pop. Si aucun des candidats proposés ne vous plaît, rien ne vous empêchera d'inscrire le vôtre. Le décompte des voix aura lieu le 31 décembre 1999, à minuit.

Energy Exchange d'Exxon compare les différentes productions d'énergie, du simple pédalage sur une bicyclette à la centrale hydroélectrique, et répond à vos questions. Des expositions y sont consacrées aux sources d'énergie, anciennes et nouvelles.

Le **Travel Port**, d'American Express, vous donnera quelques idées pour vos prochaines vacances et l'immense **Centorium shop** s'enorgueillit de proposer le plus grand choix de souvenirs d' EPCOT.

Dans **CommuniCore West**, le **FutureCom** d'AT&T présente, de manière active grâce à des jeux, les systèmes de communication d'aujourd'hui et de demain. Remarquez, à l'**Expo Robotics**, comment les robots font délicatement tourner des toupies et faites faire votre portrait par un robot «artiste». Un autre réalisera pour vous un dessin à l'aérographe sur un T-shirt. L'**Image Magic** de Kodak vous proposera d'imprimer une carte postale vous représentant à EPCOT, à l'emplacement de votre choix.

Egalement situés dans CommuniCore West, l'**Outreach** et le **Teachers' Center** sont à même de donner des avis et conseils dans n'importe quel domaine; s'ils n'ont pas la réponse, il savent dans quelle banque de données la trouver.

Les pavillons du Future World

Tous différents et chacun dans un style approprié, les sept pavillons du monde du futur forment un cercle autour du CommuniCore, avec une ouverture au nord (l'entrée principale) et une autre au sud (à la jonction des deux «mondes» d'EPCOT Center).

Pour vous rendre au premier pavillon, coupez à travers CommuniCore East et continuez toujours vers la gauche.

Universe of Energy: l'univers de l'énergie d'Exxon dure 45 minutes. Après une introduction multi-images projetée sur une «mosaïque tournante» d'écrans, vous passez dans une nouvelle salle pour un court film d'animation sur la formation des combustibles fossiles aux temps des dinosaures. Soudain, les rangs de sièges «éclatent» en six véhicules et vous voilà parti pour une odyssée qui va vous mener de la création de la Terre jusqu'au XXIe siècle; vous pourrez voir, en passant, les ères primitives, leurs dinosaures et leurs volcans. Enfin, à l'Energy Information Center (centre d'information sur l'énergie), sur un écran en arc de cercle, un autre film vous présentera l'impact de l'énergie sur le XXe siècle. Le lancement de la navette spatiale met quasiment le public sur orbite.

Wonders of Life: les merveilles de la vie, dans l'édifice au dôme d'or de la Met Life Corporation, sont focalisées sur la biologie et la santé. Dans les **Body Wars** (les guerres du corps), vous êtes réduit à la taille d'un globule rouge et expédié sans ménagement dans le système cardio-vasculaire d'un corps humain pour combattre une infection bactérienne. Comme au Star Tours trip dans les studios Disney-MGM (voir p. 50), vous êtes sanglé dans un simulateur de vol face à un écran où les images sont synchronisées avec les mouvements de la cabine (personnes fragiles s'abstenir).

Le **Cranium Command** (la maîtrise du crâne) présente de façon hilarante l'apprentissage de la coordination des mouvements d'un gosse de 12 ans; un militaire, le «général Savoir», le sermonne sans répit. Des célébrités jouent le rôle des hémisphères gauche et droite du cerveau, du cœur, de l'estomac et de la glande surrénale.

Le **Making of Me** (la fabrication de moi) explore les merveilles de la grossesse et de la naissance, en combinant le roman à l'eau de rose, le dessin animé et de remarquables images, filmées sur le vif, du développement du fœtus. Tout cela est fait avec beaucoup de tact et, en dépit d'une mise en garde à l'intention des parents, peut être vu par tous.

Dans **Goofy about Health** (Dingo vous parle de la santé) le personnage se plante sur sept écrans pour vous expliquer comment mener une vie saine. Tout au long de la journée, dans de brefs spectacles, les **AnaComical Players** improvisent des sketchs faisant appel aux spectateurs.

A la **Met Lifestyle Revue**, après avoir donné des informations à un ordinateur, vous contrôlerez vos propres habitudes de santé. Votre swing de golfeur ou votre revers de tennisman sera filmé et analysé au **Coach's Corner**. Essayez les **Wondercycles**, des machines d'exercice avec une visite vidéo programmée et des lectures de votre vitesse et de vos calories brûlées – bien peu!

La **Sensory Funhouse** reprend à la fête foraine le principe des miroirs déformants et l'étend à tous les sens avec des expositions pour le toucher, la vue et l'ouïe.

Horizons: le pavillon Horizons est occupé par l'un des parcours les plus complexes d'EPCOT. Un voyage à travers les futurs imaginés par des écrivains visionaires et des réalisateurs de films révèle à quel point leurs prédictions peuvent sembler comiques. Mais cela signifie-t-il que nos prédictions valent mieux? On se moque du héros de Jules Verne propulsé vers la lune par un supercanon, continuant à rire en regardant les micro- et macro-photos du monde actuel, projetées sur un écran OmniSphere géant. Enfin, en appuyant sur un bouton, on choisit la destination finale du voyage – désert, profondeurs marines ou espace.

World of Motion: le pavillon en forme de roue renferme un parcours amusant. D'une durée de 14 minutes, **It's Fun to be Free!** (c'est chouette d'être libre!) raconte l'histoire des transports imaginaires ou réels, de l'époque des cavernes à celle des drakkars, des bicyclettes aux diligences, avec une attaque de train. Les scènes font appel à une grande distribution de personnages «*Audio-Animatronics*» et la majeure partie du matériel utilisé est authentique. L'automobile y joue un rôle primordial: General Motors sponsorise cette production, qui se termine par une vision des villes de demain.

Dans le **Transcenter**, vous pouvez prendre place dans les voitures du sponsor, modèles existants ou prototypes. Le message – le bon vieux moteur à explosion reste l'avenir – est appuyé par un débat télévisé.

Odyssey Complex: dans ce bâtiment à côté du monde du mouvement, sont installés les premiers soins et le Baby Care Center, ainsi que le bureau des enfants trouvés. En arrivant à cet endroit, vous avez atteint la jonction des deux «boucles» d'EPCOT. Vous pouvez faire un détour par la World Showcase, à pied ou en traversant le lagon en bateau. Mais, pour l'instant, nous continuons en coupant à travers Communi-Core West, ou bien en suivant le quai le long du lagon.

Journey into Imagination: le voyage dans l'imagination de Kodak, dans sa double pyramide de verre bleu, suggère, en

L'industrie des loisirs et des parcs d'attractions n'est surtout pas à prendre à la légère!

Quelques records du monde

- La garde-robe professionnelle des 34 000 membres de la distribution compte 2,5 millions de pièces.
- La blanchisserie occupe 400 personnes qui nettoient quotidiennement 60 tonnes de linge et 32 000 vêtements.
- Plus de 1000 agents de service («hôtes et hôtesses de préservation») maintiennent la propreté de cet univers. Chaque nuit, les attractions sont nettoyées de fond en comble.
- Les jardiniers du Walt Disney World ont planté un million d'arbres et 20 millions de fleurs annuelles.
- Plus d'un million de paires de lunettes de soleil perdues attendent leurs propriétaires.
- Chaque jour, plus de 200 000 visiteurs empruntent les bus Disney, les monorails, les bateaux ou les tramways.
- Les boutiques ont déjà vendu plus de 34 millions de T-shirts.

14 minutes, que presque tout est possible. Le spectacle du  **Magic Eye Theater**, dans le même pavillon, présente un film en relief, *Captain EO* avec Michael Jackson. Réalisé par George Lucas dans le style de la *Guerre des étoiles*, il est assez effrayant pour donner des cauchemars à un enfant. Les effets spéciaux en trois dimensions sont si réalistes que vous verrez des gens avancer la main pour «toucher». A l'étage, **Image Works** est une salle de jeu du futur, avec effets de lumière et de son et vidéo interactive. Bien sûr, il y a une boutique, **Cameras and Film** située à côté du Magic Eye Theater. A l'extérieur de Captain EO, jetez un œil aux fontaines «sautantes», où l'eau saute d'une piscine à l'autre.

The Land: ce pavillon est sponsorisé par Kraft General Foods. On y cultive des aliments qui sont fournis aux restaurants du parc – le piment rouge à la San Angel Inn, du pavillon du Mexique, par exemple. Un bateau, le **Listen to the Land** (soyez à l'écoute de la campagne) vogue à l'intérieur de serres évoquant la forêt tropicale, le désert et les plaines américaines; il longe une ferme traditionelle et les principales cultures du monde.

Si vous êtes particulièrement intéressé, joignez-vous plutôt au **Greenhouse Tour** pour une visite de 45 minutes beaucoup plus détaillée des même lieux. Les places sont en nombre limité, aussi allez à l'estrade de bonne heure pour faire votre réservation (passez par la boutique du *Farmer's Market food court*). Toutes les demi-heures, un groupe part, guidé par un fermier qui donne des explication sur les techniques employées. L'utilisation des cultures hydroponiques représente peut-être le futur de l'agriculture, mais la pisciculture, elle, est déjà une industrie en plein rendement.

Projeté au **Harvest Theater**, le film *Symbiosis,* tourné en 70mm, dépeint les relations entre la campagne et la race humaine. Montrant de terrifiants exemples de pollution, il redonne espoir, cependant, en donnant des exemples de récupération. Au **Kitchen Kabaret**, Bonnie Appetit et les Kitchen Krackpot sont les vedettes d'un spectacle «*Audio-Animatronics*» à la gloire de la nourriture saine. **Broccoli & Co** est une boutique où l'on vend des graines, quelques plantes cultivées ici et des accessoires de cuisine.

The Living Seas: l'expérience des mers vivantes, sponsorisée par la United Technologies Corporation, est installée dans un bâtiment en forme de pieuvre. Son bassin d'eau salée serait le plus grand du monde (20 millions de litres). Près d'un récif de corail artificiel vivent 80 espèces de poissons tropicaux, requins, dauphins et lamantin de Floride.

Vous zigzaguez à travers l'historique de l'exploration sous-marine vers un tunnel transparent. Observez les poissons et les mammifères marins depuis les deux étages de la **Sea Base Alpha**. Quelques plongeurs travaillent dans le bassin. Les expériences sont expliquées par des scientifiques et l'équipement le plus récent y est exposé; vous pourrez endosser une vraie tenue de plongée. Le **Coral Reef Restaurant** fait face au récif.

WORLD SHOWCASE

La vitrine du monde, second anneau d'EPCOT, sur la rive du lagon, célèbre la culture et la gastronomie de onze nations. Chaque «pays» est logé dans un microcosme formé par ses édifices les plus connus. Nous faisons la visite dans le sens des aiguille d'une montre.

Le Mexique: une pyramide maya semble sur le point de subir le même destin que les originaux du Yucatán et disparaître sous la végétation. Dans la pénombre fraîche et mystérieuse brillent d'inestimables trésors pré-colombien.

A l'arrière de l'édifice, un bateau suit les méandres d'***El Rio del Tiempo*** (la rivière du temps), passant devant un volcan en éruption, le film d'une cérémonie aztèque, une fiesta animée et un comptoir de marchands. Un autre film vantant le tourisme du Mexique est suivi par un ingénieux «feu d'artifice» de fibres optiques.

La Norvège: le château Akershus (XIVe siècle) d'Oslo, un cottage au toit de tourbe, une église en bois debout et les maisons du XVIIe siècle du port de Bergen ont inspiré les bâtiments de ce pavillon.

Ne manquez pas **Maelstrom**, le voyage en drakkar à travers les légendes, au cours duquel vous rencontrerez des trolls, glisserez à reculons le long d'une cataracte pour tomber dans les eaux bouillonnantes de la mer du Nord. Vous mettrez pied à terre dans un port pour regarder un court métrage, ***The Spirit of Norway***, (l'esprit de la Norvège) qui vous donnera envie d'y aller. A l'intérieur, une exposition intitulée *To the Ends of Earth* (jusqu'aux extrémités de la Terre) présente des reliques des fameuses expéditions de Nansen et d'Amundsen vers les deux pôles.

La Chine: une collection de répliques raffinées entoure le temple du Ciel de Pékin. Cet édifice circulaire est parfait pour y projeter sur 360 degrés ***Wonders of China*** (Les merveilles de la Chine), documentaire réalisé en Circle-Vision. La Grande Muraille, le cours du Yang-tseu-kiang, Lhassa, Shanghaï: 19 minutes pour une visite qui demanderait plus d'une année sur place. Des yeux derrière la tête vous seraient bien utiles pour tout voir, d'autant que la station debout peut être fatigante à la longue.

Difficile de quitter des yeux les spectacles et personnages dans ces parcs féériques.

L'Allemagne: nourriture et confort dans un décor villageois; c'est l'image que donne le pavillon de l'Allemagne. Chaque boutique correspond à cette image folklorique: chocolats au **Süssigkeiten**, vins à la **Weinkeller** et au **Volkskunst** de l'artisanat et des souvenirs, de la chope à bière au coucou.

L'Italie: de petites répliques, très finement détaillées, du palais des Doges et du Campanile recréent une Plaza San Marco miniature, avec des gondoles qui se balancent sur les eaux du lac. D'autres édifices, des statues et des jardins qui entourent la Plaza reproduisent des originaux répartis dans toute l'Italie. Une troupe d'acteurs comiques et de chanteurs des rues rassemble les gens et les fait entrer dans leur jeu, avec les étranges résultats que l'on peut imaginer.

Les Etats-Unis; à tout seigneur tout honneur, la nation hôte occupe la place centrale dans le lagon d'EPCOT. Offerts par Coca-Cola et American Express, ce sont deux siècles d'histoire des Etats-Unis qui défilent sans heurt durant la petite demi-heure de

l'***American Adventure*** (un nom souvent donné à l'ensemble du pavillon). Y figurent quelques-uns des automates «*Audio-Animatronics*» les plus sophistiqués réalisés à ce jour, Benjamin Franklin et Mark Twain à leur tête.

Le Japon: les jardins bichonnés, avec leurs cascades, leurs petits ponts et leurs lanternes de pierre, constituent une retraite parfaite, loin des distractions du monde alentour. La grande pagode à étages et le palais aux toits courbes sont inspirés des temples de Kyoto et Nara. En plus des restaurants, ils abritent la **Bijutsukan Gallery**, une galerie d'art traditionnel et contemporain.

Le Maroc: seul représentant ici des pays arabes et du monde de l'Islam, ce pays d'Afrique du Nord prend ses responsabilités très au sérieux. Des ouvriers furent envoyés du pays pour construire le plus authentique des pavillons de la World Showcase. Le travail des carreaux de faïence et les arabesques sont moins la copie de modèles que de l'art vivant – remarquez la **Fez House** (la maison de Fez) et la fontaine. A la **galerie des Arts et de l'Histoire** sont exposés des trésors artistiques, des broderies et des joyaux, et dans une casbah reconstituée, des artisans travaillent le cuivre et l'argent.

La France: la gastronomie est à l'honneur et trois superstars de la grande cuisine – Bocuse, Vergé et Lenôtre – ont été les «consultants» des restaurants. Un documentaire touristique de 18 minutes, projeté sur un quintuple écran, ***Impressions de France*** a de quoi mettre en appétit de voyage.

Vous pourrez difficilement confondre la mini-tour Eiffel avec l'originale, mais les autres édifices constituent un véritable tour de force: c'est une reconstitution du Paris du XIXe siècle. Les mansardes, les terrasses de café, jusqu'aux berges d'un canal assez semblable à la Seine, recréent mieux l'atmosphère parisienne qu'une copie fidèle.

International Gateway: lorsque les centres de loisirs d'EPCOT ont ouvert, il a semblé logique de donner aux visiteurs cet accès plus facile au parc. Des trams font la navette entre le Swan and Dolphin et le Yatch and Beach Clubs; une promenade le long de l'eau vous amène à l'entrée et ne prend que quelques minutes.

Le Royaume-Uni: les architectes ont réussi à créer un condensé de village-ville-cité anglais avec un peu de Pays de Galle et un rien d'Ecosse. Tous les styles – du début du XVIe siècle Tudor au XIXe victorien – y sont représentés.

L'atmosphère du pub, le **Rose & Crown**, semble familière aux visiteurs britanniques et la bière y est authentique (quoique pasteurisée et servie fraîche, conformément aux lois et au goût américains).

Le Canada: inspiré par le château Laurier d'Ottawa, l'Hôtel du Canada est un bon point de repère. Aussi massif qu'il paraisse, il n'est en fait pas plus grand qu'une maison. Un film en Circle-Vision 360, ***O Canada!***, vous emmène d'un océan à l'autre à travers les grands espaces. Des yeux tout autour de la tête seraient nécessaires pour pouvoir profiter des images enregistrées par neuf caméras depuis des hélicoptères, avions, canoës et traîneaux. Le son aussi vient de tous les côté: le match de hockey est très spectaculaire.

Disney-MGM Studios

Célébrant l'histoire d'amour des Américains avec le cinéma, le plus récent des trois parcs thématiques du Disney World fut ouvert en 1989. Ses rues aux façades art déco, plus «Hollywood des années 30» qu'elles ne le furent jamais, mènent à des décors authentiques ou reconstitués. On y tourne des films et des émissions de télévision, comme vous le constaterez en observant l'activité des studios. Le public de tout âge est sollicité, tant dans les attractions que les «événements» de la rue.

Si vous venez en voiture, les panneaux sont faciles à suivre depuis les autoroutes I-4 ou US192. Le parking est gratuit pour les résidents des hôtels et du camping Disney (présenter la carte d'identification). Les autres conserveront leur ticket, celui-ci étant valable toute la journée. Mémorisez l'emplacement de votre véhicule. Vérifiez l'heure de fermeture du parc (19h ou plus tard).

LE TOUR DES STUDIOS

Une fois passées les portes d'entrée, vous vous croirez dans un rêve californien, mais même si se déroule un spectacle dans la rue, ne vous attardez pas. Remettez la visite des boutiques et l'achat du piquenique à plus tard. Descendez le **Hollywood Boulevard** en direction de **Sunset Plaza**. Sur un grand tableau noir, à droite, sont inscrites à la craie – et constamment tenues à jour – les dernières informations sur les horaires des spectacles et des événements spéciaux.

Dans notre guide, la visite se fera plus ou moins en cercle; adaptez votre itinéraire aux horaires de spectacle. Pour voir le Star Tours (voir p. 54), allez-y sans attendre, dès l'ouverture du parc, puis rendez-vous à l'Indiana Jones Stunt Spectacular (les cascades d'Indiana Jones, voir p. 53) pour assister à la première séance de la journée; après cela, joignez-vous tout de suite à la file d'attente d'un des Backstage Tours (tour des coulisses, voir p. 54). Quand vous en sortirez,

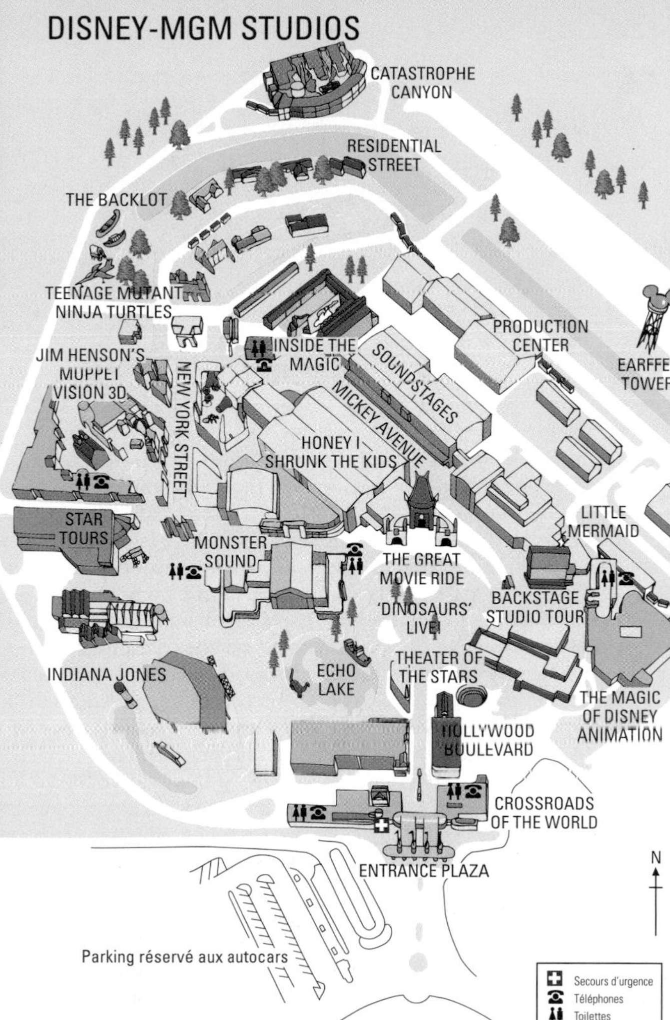
DISNEY-MGM STUDIOS
CATASTROPHE CANYON
RESIDENTIAL STREET
THE BACKLOT
TEENAGE MUTANT NINJA TURTLES
PRODUCTION CENTER
EARFFEL TOWER
INSIDE THE MAGIC
SOUNDSTAGES
JIM HENSON'S MUPPET VISION 3D
NEW YORK STREET
MICKEY AVENUE
HONEY I SHRUNK THE KIDS
STAR TOURS
LITTLE MERMAID
MONSTER SOUND
THE GREAT MOVIE RIDE
BACKSTAGE STUDIO TOUR
'DINOSAURS' LIVE
THEATER OF THE STARS
INDIANA JONES
ECHO LAKE
THE MAGIC OF DISNEY ANIMATION
HOLLYWOOD BOULEVARD
CROSSROADS OF THE WORLD
ENTRANCE PLAZA
N
Parking réservé aux autocars
Secours d'urgence
Téléphones
Toilettes

Le monde est une scène

Ce fut un trait de génie d'appeler le personnel de Walt Disney World (34 000 personnes) des «membres de la distribution». C'est l'industrie des loisirs – c'est le raisonnement suivi –, et les lois qui s'appliquent aux acteurs s'appliquent ici. Ceci est reflété dans le langage: le personnel porte des «costumes», pas des uniformes, qui sont gardés dans une «garde-robe», et pas dans un casier. Lorsque que les visiteurs («les invités») peuvent les voir, les membres du personnel sont «en scène» – et il est interdit de boire ou de fumer.

les files se seront certes considérablement allongées, mais ce sera déjà un bon début.

Regardez, à l'entrée du **Theater of the Stars** (théâtre des stars), l'horaire de la comédie musicale tirée du dessin animé des Walt Disney Pictures, ***Beauty and the Beast*** (*La Belle et la Bête*). Si vous êtes pressé, regardez-en une partie en restant debout. Prenez note de l'heure à laquelle commence un autre spectacle, sur la Sunset Plaza. Inspirée par un autre dessin animé des Walt Disney Picture, il raconte le ***Voyage of the Little Mermaid*** (*Le Voyage de la Petite Sirène*) en une délicieuse production musicale; la chanson *Under the Sea* a valu un oscar au film. Combinant jeu d'acteur, marionnettes et extraits de film, il est situé dans un décor de grotte sous-marine avec un rideau d'eau et d'autres effets spéciaux. Le réalisme est poussé au point de vaporiser finement de l'eau sur les spectateurs et de remplir le théâtre de bulles (couvrez votre appareil-photo!).

Au milieu de la Plaza, la **Star Today** (la star du jour) – une personnalité plus ou moins connue du cinéma ou de la télévision – fait périodiquement une apparition. Pour de plus amples informations, consultez la brochure gratuite *Entertainment Schedule*.

LES SPECTACLES

La **Pagode chinoise** de Sunset Plaza est une copie conforme du Théâtre chinois d'Hollywood, devant lequel les stars ont laissé l'empreinte de leurs pieds et de leurs mains dans le ciment. A l'intérieur, le **Great Movie Ride** est conçu comme un hommage de 20 minutes aux productions essentielles d'un siècle de cinéma. Votre siège se déplace le long d'un rail serpentant à travers des séquences de *Casablanca*, du *Magicien d'Oz*, d'*Alien*, des *Aventuriers de l'Arche perdue* et de douzaines d'autres classiques. Les reconstitutions sont faites avec les effigies «*Audio-Animatronics*» des stars et des effets spéciaux très réalistes (un peu trop réalistes, peut-être, pour de petits enfants). C'est là une des attractions les plus populaires et la file se forme dès l'ouverture du parc.

En attendant d'entrer au **Monster Sound Show**, vous pourrez regarder l'enregistrement vidéo d'un ancien spécialiste de Disney, Jimmy McDonald, qui inventa des milliers de trucs pour simuler des sons et qui «fit» la voix de Mickey, dès 1946, quand Walt Disney renonça à ce rôle. Au cours du spectacle, le public est invité à apporter son concours pour réaliser le bruitage d'une scène où l'agent d'assurance Chevy Chase arrive dans une maison hantée: effets hilarants garantis.

SuperStar Television est la re-création de séries télévisées américaines très populaires, et une partie du public y prend part. Un montage habile permet de montrer de nouveaux épisodes où le public réagit au jeu d'authentiques stars d'hier et d'aujourd'hui.

Un coup d'œil au tableau des horaires, puis courez au grand théâtre en plein air où l'**Indiana Jones Stunt Spectacular** est programmé plusieurs fois par jour. En général, il faut arriver en avance. Les cascades sont réelles et dans trois décors différents (ceux-ci sont mobiles et vous n'avez pas à vous déplacer) et vous pouvez même vous joindre au spectacle, si vous l'osez… Les «extras» étant choisis avant le

spectacle, arrivez tôt si vous êtes volontaire. Certaines séquences révèlent les «trucs» du tournage des *Aventuriers de l'Arche perdue* ou d'*Indiana Jones et le Temple maudit*. Dans la séquence finale, la scène disparaît derrière des rideaux de flammes.

Dans **StarTours**, un vaisseau spatial «Starspeeder» déglingué, avec C3P0 et D2R2, de la *Guerre des étoiles* et des robots détraqués suggère que tout ne va pas aussi bien que le prétendent les agences de voyages spatiaux. Vous êtes accueilli à bord par un capitaine cinglé avec une tête en forme de wok renversé: «C'est votre premier voyage? Moi aussi!» Viennent ensuite les frissons lorsque vous expérimentez la «réalité virtuelle» d'une fuite éperdue. La cabine du simulateur de vol est propulsée de tous côtés tandis que sur l'écran apparaissent les dangers qui vous guettent. L'expérience est à déconseiller aux personnes nerveuses.

Dans le **Muppet*Vision 3D**, des objets volants vous sont jetés à la tête au milieu d'effets spéciaux et de Muppets «*Audio-Animatronics*» ou «vivants». Vers la fin de ce spectacle de 15 minutes, jetez un œil sur les murs de ce nouveau théâtre sophistiqué, pour une ultime surprise.

Avez-vous vu le film **Honey, I Shrunk the Kids** (*Chérie, j'ai rétréci les gosses*) dans lequel un savant réduit accidentellement ses enfants et ceux des voisins à la taille d'une fourmi? Vous découvrirez ici l'impression que l'on peut avoir à chercher son chemin au milieu de brins d'herbe hauts de huit mètres et de se trouver face à des insectes grands comme des maisons. Les petits pourront grimper dans des «toiles d'araignée», se glisser dans des tiges de feuilles ou sur une énorme pellicule photo.

DANS LES COULISSES

Essayez d'arriver tôt pour le **Magic of Disney Animation** (magie de l'animation chez Disney); vous n'attendrez pas longtemps, et vous verrez les artistes au travail plus sûrement que si vous arriviez à l'heure du déjeuner ou en fin d'après-midi. Le départ se situe juste en dehors de la Sunset Plaza, derrière le Theater of the Stars; pour l'essentiel, c'est un tour «auto-guidé». La visite débute par un hilarant petit film sur les bases de l'animation, *Back to Never Land.* Walter Conkite et Robin Williams vous font découvrir comment le croquis d'un personnage de dessin animé «s'éveille petit à petit à la vie».

L'étape suivante est un vrai studio d'animation où vous pouvez déambuler à loisir, jetant un coup d'œil par une des fenêtres ou vous penchant par-dessus l'épaule des artistes. Vous verrez chaque département (si personne n'y travaille à ce moment-là, des moniteurs vidéo vous donneront toutes les explications voulues): développement du scénario, dessin des personnages avec leurs mouvements et leurs émotions, création des arrières-plans, «cellos» soigneusement peints à la main et photographiés un à un (voir p. 21).

La magie des studios

«Sont-ils gênés d'être épiés?» Tout le monde au **Magic of Disney Animation Tour** veut savoir ce que ressentent les artistes tandis qu'ils travaillent sous les yeux de milliers de gens. La réponse est «oui et non». La promiscuité est contrebalancée par le fait d'être en lumière et non dans quelque salle retirée. Aucun doute: c'est un succès. Les 70 artistes ont créé 15 000 dessins en huit mois pour *La Belle et la Bête* et *Aladin*.

«Est-ce que la technique a fait des progrès depuis l'époque de Walt Disney?» Celui-ci ne serait pas dépaysé, quoique les artistes disposent maintenant d'un scénario écrit alors que Disney gardait toute l'histoire dans sa tête. Mais des changements s'annoncent, notamment l'«animation sans papier» grâce à quoi tout sera réalisé sur ordinateur. Les artistes y sont préparés: «Cela nous permettra d'être encore plus créatifs.»

Les avez-vous tous vus?

Pour mettre un terme aux discussions – ou les susciter –, voici la liste de tous les films d'animation de Walt Disney:

Années 1930
Blanche-Neige et les Sept Nains (1937)

Années 1940
Pinocchio (1940); *Fantasia* (1940); *Dumbo* (1941); *Bambi* (1942); *Saludos Amigos* (1943); *Les trois caballeros* (1945); *Make Mine Music* (1946); *Fun and Fancy Free* (1947); *Melody Time* (1948); *The Adventures of Ichabod and Mr Toad* (1949)

Années 1950
Cendrillon (1950); Alice au pays des merveilles (1951); *Peter Pan* (1953); *La Belle et le Clochard* (1955); *La Belle au bois dormant* (1959)

Années 1960
Les 101 Dalmatiens (1961); *Merlin l'enchanteur* (1963); *Le Livre de la jungle* (1967)

Années 1970
Les Aristochats (1970); *Robin des Bois* (1973); *Les Aventures de Winnie l'Ourson* (1977); *Bernard et Bianca* (1977)

Années 1980
Rox et Rouky (1981); *Le Chaudron noir* (1985); *Basil, détective privé* (1986); *Olivier et compagnie* (1988); *La Petite Sirène* (1989)

Années 1990
Bernard et Bianca au pays des kangourous (1990); *La Belle et la Bête* (1991); *Aladin* (1992)

Et *Mary Poppins*, demanderez-vous? Il s'agit là d'un film de technique mixte, mêlant acteurs et dessins animés, comme *La Mélodie des mers du Sud*. Cette liste ne mentionne que les films de pure animation.

Enfin vient le montage; au Disney Classic Theater, on vous projettera des scènes de films célèbres, dont *Bambi* (le préféré de Walt Disney), *Les 101 Dalmatiens* et *Cendrillon*.

Les meilleurs exemples d'animation ont finalement été reconnus comme des classiques modernes et les amateurs sont prêts à verser de vastes sommes pour se les procurer. Des «cellos» originaux, bradés autrefois pour quelques dollars, atteignent maintenant des prix à cinq chiffres. Vous en verrez des exemplaires à vendre à l'**Animation Gallery**.

L'après-midi est un bon moment pour faire le **Backstage Studio Tour** (tour des coulisses); le départ de ce parcours de 20 minutes a lieu près de la salle où se donne la *Petite Sirène*, juste en dehors de la Sunset Plaza. Une navette vous emmène d'abord à travers les bâtiments des costumes et des décors, puis vers l'entrepôt des vieux décors, des vieilles voitures et d'un vieil avion. **Residential Street** est un décor extérieur que vous avez peut-être vu au hasard d'un film ou d'une série télévisée. Puis c'est le **Catastrophe Canyon**. Vous allez assister de très, très près à quelques-uns de ces désastres – inondations, incendies ou explosions – qui ont valu leur épithète aux films-catastrophes. Assis du côté droit, vous risquez d'être éclaboussé, mais à gauche, vous le serez sûrement (mettez votre caméra à l'abri). Il faut trois minutes et demi pour recycler les 318 000 litres d'eau et tout remettre en place avant le prochain cataclysme.

Vous pouvez interrompre la visite à ce stade; sinon, suivez les traces de pas roses de Roger Rabbit pour vous joindre à **Inside the Magic: Special Effects and Production Tour** (tour des effets spéciaux et de la production) qui se fait à pied et dure de 45 minutes à une heure. Vous découvrirez d'abord comment on réalise les ouragans et les batailles navales dans un bassin. C'est un visiteur qui tient le rôle de l'infortuné capitaine sur le pont d'une maquette secouée par la tempête. Puis deux enfants sont priés d'être les gamins qui volent à dos de guêpe dans *Chérie, j'ai rétréci les gosses*, tandis que vous apprenez quelques secrets. Vous observerez ensuite ce qui se passe sur trois plateaux véritables: Soundstage I–III. Consultez l'*Entertainment Schedule* pour savoir ce qui est en cours de tournage et quelles personnalités sont susceptibles d'être présentes.

Au **Post-Production Editing and Audio**, des monteurs et ingénieurs du son vous apprendront comment ils mettent la dernière main au film. Le tour se termine au Walt Disney Theater par la projection d'avant-premières de films produits par Disney et Touchstone qui seront «prochainement sur vos écrans».

Les restaurants font partie du spectacle. Le **Hollywood Brown Derby Grill**, proche du Theater of the Stars, met à l'honneur les caricatures. Des sosies «vocaux» des célèbres échotières Louella Parsons et Hedda Hopper pourraient être assis à une table. Au **50s Prime Time Café** vous pourrez manger en regardant des séries américaines classiques.

Autres attractions

Notez que par mauvais temps, certains des parcs aquatiques peuvent être fermés.

TYPHOON LAGOON

Confronté à la compétition entre les parcs aquatiques dans la région d'Orlando, Disney a créé le Typhoon Lagoon. Il dispose de son propre parking, gratuit pour les résidents des *resorts* du Walt Disney World. Vous pourrez louer une serviette si vous avez oublié d'en emporter une. Et, vous pouvez amener nourriture et boissons (pas d'alcool, ni de conteneurs en verre), bien qu'il y ait deux restaurants où se procurer des pique-niques.

Le parc est aménagé avec beaucoup d'imagination: sur cette île des mers du sud de 22ha, vous oublierez que vous êtes loin à l'intérieur des terres. Il y a de nombreux arbres, et même une plage de sable blanc où se dorer au soleil.

L'attraction principale en est un **générateur de vagues** géant qui crée sur ce lagon de

1ha, et à la cadence de 1/90s, des rouleaux de près de 2m, parfaits pour le body-surfing. Périodiquement, les vagues se réduisent à une simple houle. Une trompe prévient du retour des grandes vagues.

Au sommet du **Mount Mayday**, qui s'élève à 27m au-dessus du lagon, l'épave d'un bateau, le *Miss Tilly*, aurait été jeté là par un raz-de-marée. Montez sur la colline pour admirer la vue, tout en mettant votre caméra à couvert car des trombes d'eau jaillissent des cheminées du *Miss Tilly*.

Hautes de 15m, deux glissades d'eau géantes, les **Humunga Kowabunga**, vous précipitent dans un tunnel vers le lagon. Elles ne conviennent pas aux petits enfants. Préparez-vous avec d'autres attractions d'une moindre échelle, telles que les **Rudder Buster**, **Jib Jammer** et **Stern Burner**: elles sont moins rapides et serpentent à l'intérieur et à l'extérieur de grottes et de cascades avant le plongeon final.

Si vous préférez une activité plus calme, descendez sur une chambre à air les eaux blanches des cascades des **Mayday Falls**, des **Keelhaul Falls**, ou, quatre personnes à la fois, celles des **Gangplank Falls**. Si l'attente est trop longue, prenez une chambre à air à l'un des points de ramassage et laissez-vous porter par le **Castaway Creek**, dont les méandres font le tour du parc en se faufilant entre les bois et les grottes.

L'équipement pour faire de la plongée en apnée est disponible gratuitement au **Shark Reef**: un récif coralien artificiel, mais les poissons et les petits requins inoffensifs qui l'habitent sont bien vivants.

Aux tout-jeunes, le **Ketchakiddie Creek** propose des pataugeoires, des glissades et des fontaines. Si vous avez oublié votre maillot de bain, vous en trouverez à la boutique **Singapore Sal's**, ainsi que tout l'attirail nécessaire sur une plage.

RIVER COUNTRY

Ce parc aquatique (près du Bay Lake) est plus ancien que Typhoon Lagoon. Ses glissades sont moins nombreuses et moins longues et il n'a pas de machine à vagues, mais son atmosphère est décontractée. On peut y louer des serviettes.

Le parc est conçu comme un «coin-baignade» à la campagne. Dévalez les **Whoop 'n' Holler Hollow**, deux glissades en tire-bouchons qui vous propulsent dans l'eau d'un bassin, ou descendez, sur une chambre à air, les **White Water Rapids** jusqu'à la plage; il y a des tables, vous pouvez apporter votre pique-nique (l'alcool et le verre sont interdits).

DISCOVERY ISLAND

Un petit monde vit à son rythme, presque ignoré, au milieu du Walt Disney World et peu de visiteurs le découvrent. Sur cette île du **Bay Lake**, grande de 4ha, vous pouvez errer parmi des oiseaux et animaux bien réels. Cinquante espèces d'oiseaux sauvages nichent ici, sans compter une centaine d'autres dans les volières.

Des sentiers et des parcours sillonnent le paysage astucieusement aménagé, au sein de la végétation luxuriante. Chemin faisant, vous pourrez observer des lémurs à queue zébrée, des singes tamarins lion d'or et des tortues géantes des Galapagos. Nombre de ces animaux se déplacent librement; isolés des alligators et des crocodiles, ils ne courent aucun danger. Les habitants de l'île se sentent si peu menacés que les visiteurs peuvent les approcher de près.

C'est un parc zoologique reconnu, qui remporte un succès croissant dans la reproduction d'espèces menacées. Les calaos sont sa spécialité et il est le deuxième zoo en Amérique du Nord à élever le très rare calao rhinocéros.

Notez l'heure du prochain **Bird Show**: dans un spectacle humoristique, des aras parleurs montrent de leur savoir.

L'île est accessible par bateau depuis River Country, Fort Wilderness, la Contemporary resort, et depuis le Magic Kingdom (près de l'entrée).

PLEASURE ISLAND

Les divertissements proposés par ce centre de loisirs sont surtout des boîtes de nuit (pour plus de détails, voir p. 108).

Autres attractions autour d'Orlando

LES UNIVERSAL STUDIOS FLORIDA

Plus qu'un parc thématique, les **Studios Universal Florida** sont surnommés «les plus grandes maisons de production de cinéma et de télévision à l'est d'Hollywood». La fatigue vous gagnera après une journée, ce qui ne sera pas de trop si vous voulez essayer quelques attractions excitantes et voir divers spectacles.

Situés au nord de l'International Drive, signalés à la sortie de l'*interstate highway* I–4, ils sont faciles à trouver. Notez bien l'emplacement de votre voiture dans le parking.

Les suggestions faites p. 19 pour la meilleure utilisation de votre temps sont valables ici: essayez d'arriver avant l'ouverture à 9 heures; prenez un dépliant à l'entrée, faites vos choix, et dirigez-vous rapidement vers une des attractions les plus populaires afin d'évitez la foule. En fin de journée, les visiteurs s'installent pour assister au **Spectacular**: un spectacle explosif sur le lagon où des hors-bords se poursuivent sous les explosions.

Le parc est divisé en six zones; sur place, les sections

Ce n'est peut-être qu'une maquette en plastique, mais on ne peut pas s'empêcher de hurler.

ont bien moins d'importance. Nous les traitons ici dans le sens des aiguilles d'une montre, mais votre route peut être différente, selon vos objectifs. Le **Front Lot**, à l'intérieur et près de l'entrée principale, comprend la quasi-totalité de l'ensemble administratif: relations publiques, banque, consigne, locations de poussettes et de fauteuils roulants, enfants et objets trouvés et informations sur la production dans les studios et sur les plateaux.

Production Central

Tout droit, au bas de la **Plaza of the Stars** et juste au début de l'intersection se trouve le **Funtastic World of Hanna-**

Même les spectres créés par rayon laser ne font pas le poids face aux Ghostbusters *du spectacle des studios Universal.*

Barbera, l'une des plus grandes attractions de Production Central. L'association entre Bill Hanna et Joe Barbera a créé des dessins animés tels que les *Pierrafeux, L'ours Yogi* et *Scoubidou* – vous les verrez accueillir leurs fans à l'entrée. Le simulateur vous emmène dans une course-poursuite accélérée, dirigée par Yogi, qui n'a visiblement pas son permis. Cette attraction n'est pas violente; des fauteuils statiques sont disponibles au premier rang pour les jeunes enfants et les personnes fragiles.

Le tram du **Production Tour** – si vous êtes fatigué – passe devant des plateaux que vous reconnaîtrez pour les avoir vus à la télévision. Le roi du suspens présente ses tours dans le **Alfred Hitchcock's 3-D Theatre**, où *Les oiseaux* ou la douche de *Psychose* arrivent droit sur vous. Dans le magasin, vous pouvez acheter le torchon du Motel Bates. Dans le ***Murder She Wrote*** **Mystery Theatre** (*Arabesques*), l'audience va d'une scène à l'autre pour assister à la production, et «aide» à construire une scène.

Dilemme

Que choisir? Les Universal Studios Florida ou les Disney-MGM Studios? Une fois qu'ils furent tous deux ouverts, la comparaison devint inévitable.

Les Universal Studios sont beaucoup plus grands (ce qui ne veut pas dire que tout est semblable), bien qu'il n'y ait pas la confortable sensation des contes de fées de Disney-MGM, et que moins d'attractions soient basées sur des films conçus pour un jeune public. De plus, les rues et les plateaux sont sur une plus grande échelle, on marche donc beaucoup plus; cependant, les Universal Studios ont certaines des attractions les plus sensationnelles qui existent, même si elles peuvent effrayer les jeunes enfants. Bien sûr, les vrais fanatiques de cinéma voudront aller à Disney-MGM *et* aux Universal Studios.

Hollywood

Hollywood, à droite, est un décor d'une rue des années 50 en chrome et aux tons pastels. Parmi les cafés et les magasins qui vendent chapeaux, lunettes de soleil et posters, le **Gory Gruesome and Grotesque Horror Make-up Show** fait figure d'attraction. Son nom (le spectacle de maquillage d'horreur sanglant, épouvantable et grotesque) en dit long.

New York

Il est facile de trouver New York, tout droit à partir de l'entrée principale, avec les gratte-ciel de Manhattan. Le spectacle **Ghostbusters** accumule les effets spéciaux: bave, ectoplasmes, lasers et haute technologie. Ne vous attendez pas à ce que cela ait un sens!

Dans la rue, des sosies des Blues Brothers arrivent dans leur voiture de police délabrée puis chantent et dansent des extraits du film. A **Kongfrontation**, le tout puissant King Kong, haut de quatre étages, s'est échappé et se déchaîne dans la ville, écrasant les hélicoptères comme des mouches. Vous êtes dans un téléphérique au-dessus de la rue (ne demandez pas pourquoi) lorsque King Kong attaque. C'est une des plus grandes attractions… dans tous les sens du mot. Regardez si la file d'attente n'est pas trop longue, mais ne la manquez pas. Vous pouvez voir votre réaction après coup, sur des écrans vidéo.

San Francisco/Amity

Rassemblé à une extrémité du lagon, San Francisco/Amity représente Fisherman's Wharf et Amity Harbour avec leurs restaurants, leurs fruits de mer et deux spectacles hors du commun. **Earthquake – The Big One** vous emmène dans un métro de San Francisco, tranquillement à l'arrêt lorsque le tremblement de terre commence. Le toit s'écroule, un gouffre s'ouvre sur le quai, un camion venant de la rue glisse vers vous et un raz-de-marée s'engouffre dans la brêche. Les effets ont été calculés sur 8,3 à l'échelle de Richter.

Guide des hôtels et restaurants

Hôtels recommandés

La région d'Orlando, y compris le Walt Disney World, compte plus de chambres d'hôtel que n'importe quelle autre région des Etats-Unis. Etant donné la compétition féroce, vous pouvez être certain d'en avoir pour votre argent.

Nous vous proposons une petite sélection, classée par ordre alphabétique, dans chaque catégorie de prix. La situation de votre hôtel est de première importance, selon que vous avez l'intention de passer tout votre temps dans le domaine Disney ou de faire un tour de la Floride centrale. Par conséquent nous avons subdivisé la liste en zones et marqué chaque établissement d'un symbole indiquant sa catégorie de prix (nuit dans une chambre double avec bains, sans petit déjeuner). Dans les hôtels, une taxe (*sales tax*) de 6% est ajoutée à la note.

Aux Etats-Unis, les tarifs s'entendent pour la chambre et non pour le nombre de personnes. Toutefois, si vous êtes plus de deux par chambre, un léger supplément peut être perçu. N'omettez jamais de vous renseigner sur les tarifs spéciaux, par exemple si vous projetez de rester plusieurs jours.

▮▮▮▮	plus de $180
▮▮▮	de $100 à $180
▮▮	de $60 à $100
▮	moins de $ 60

LE WALT DISNEY WORLD

Les clients des hôtels et du camping Disney peuvent faire usage des moyens de transport et des équipements sportifs et ils bénéficient d'un traitement de faveur: réservations privilégiées pour les spectacles, les restaurants, etc.; gratuité dans les parkings des parcs thématiques et l'entrée par les transports Disney garantie, même lorsque les parcs affichent complet. Ces avantages compensent des tarifs quelque peu élevés. Pour toutes informations sur les hôtels Disney, voir p. 128.

All-Star Resorts ▮▮▮
Walt Disney World, Lake Buena Vista, Florida FL32830
tél. (407) 939-5000 (sport)
fax (407) 827-8655
tél. (407) 939-6000 (musique)
fax (407) 939-78222
Le lieu de séjour le moins cher du parc met à l'honneur le sport et la musique. 1900chambres.

Caribbean Beach Resort ▮▮
WDW, Lake Buena Vista, Florida FL32830
tél. (407) 934 34 00
fax (407) 352 32 02
Proche d'EPCOT Un décor «villageois» ravissant et coloré, autour d'un lac. 2112 chambres.

Contemporary Resort ▮▮▮
WDW, Lake Buena Vista, Florida FL32830
tél. (407) 824-10 00
fax (407) 824-35 39
fuinze étages en «cheval d'arçons», près du Magic Kingdom. Spectacles de variétés, piscines, marina. 1053 chambres.

Dixie Landings Resort ▮▮
WDW, Lake Buena Vista, Florida FL32830
tél. (407) 934 60 00
fax (407) 934 57 77
Peu éloigné d'EPCOT, bien situé pour atteindre toutes les parties du Walt Disney World. Le décor «vieux Sud», plantation et arbres, dissimule ses dimensions énormes. 2048 chambres.

Grand Floridian Beach Resort ▮▮▮▮
WDW, Lake Buena Vista, Florida FL32830
tél. (407) 824 30 00
fax (407) 824 31 86
Re-création de la splendeur victorienne. Le *Victoria and Albert's* est l'un des restaurants les plus élégants du WDW. Monorail pour le Magic Kingdom. Piscines, marina, plage. 901 chambres.

Polynesian Resort ▮▮▮▮
WDW, Lake Buena Vista, Florida FL32830
tél. (407) 824 20 00
fax (407) 824 31 74
Maisons des îles des mers du Sud, situées à proximité du Seven Sea lagoon. Monorail pour le Magic Kingdom. Piscines et plage. 855 chambres.

Port Orleans Resort ▮▮
WDW, Lake Buena Vista, Florida FL32830
tél. (407) 934 50 00
fax (407) 934 53 53
Proche d'EPCOT. Dans le style du «Vieux fuartier français» de la Nouvelle-Orléans. Piscine thématique, quai. 1008 chambres.

Walt Disney World Dolphin

Géré par Sheraton Hotels,
PO Box 22653, Lake Buena Vista,
Florida FL32830-2653
tél. (407) 934 40 00
fax (407)934-4099

Proche de l'International Gateway d'EPCOT. Un bon repère: sa tour triangulaire verte et saumon. Marina, piscines. 1510 chambres.

Walt Disney World Swan

Géré par Westin Hotels,
PO Box 22786, Lake Buena Vista,
Florida FL32830-2786
tél. (407) 934 30 00
fax (407) 934 44 99

A quelques pas de l'International Gateway d'EPCOT. Tour avec un toit en arc. Marina, piscines, plage. 758 chambres.

Yacht Club & Beach Club Resorts

Walt Disney World,
Lake Buena Vista,
Florida FL32830
tél. (407) 934 70 00 (Yacht Club),
(407) 934 80 00 (Beach Club)
fax (407) 934 34 50

A proximité de l'International Gateway d'EPCOT. Re-création des magnifiques stations balnéaires jumelles du Massachusetts du XIXe siècle. Marina, piscines, plage. 1214 chambres.

DISNEY VILLAGE PLAZA HOTELS

Situés dans l'enceinte du Walt Disney World, ces hôtels n'appartiennent cependant pas à Disney. Entrée dans les parcs avec le bus Disney garantie aux résidents, qui peuvent également jouir des installations de tennis et de golf du Disney Village.

Buena Vista Palace

1900 Buena Vista Drive,
Lake Buena Vista,
Florida FL32830
tél. (407) 827 27 27
fax (407) 827 60 34

Situé au bord du lac. Piscine, jardins, tennis. 841 chambres.

Grosvenor Resort

1850 Hotel Plaza Boulevard,
Lake Buena Vista,
Florida FL32830
tél. (407) 828 44 44
fax (407) 828 81 20

Immeuble-tour équipé pour accueillir des congrès. 630 chambres.

Hilton

1751 Hotel Plaza Boulevard,
Lake Buena Vista,
Florida FL32830
tél. (407) 827 40 00
fax (407) 827 63 80

Grand immeuble avec centre de congrès. Jardins, piscines, restaurants. 813 chambres.

Howard Johnson Resort Hotel ▮▮▮
1805 Hotel Plaza Boulevard,
Lake Buena Vista,
Florida FL32830
tél. (407) 828 88 88
fax (407) 827 46 23
Tour de 14 étages avec une annexe. Piscine, jardin, salle à manger familiale. 323 chambres.

Royal Plaza ▮▮▮
1905 Hotel Plaza Boulevard,
Lake Buena Vista,
Florida FL32830
tél. (407) 828 28 28
fax (407) 827 63 38
Immeubles de 17 étages. Tennis, piscine, jardin. 396 chambres.

Travelogde Hotel ▮▮▮
2000 Hotel Plaza Boulevard,
Lake Buena Vista,
Florida FL 32830
tél. (407) 828 24 24
fax (407) 828 89 33
Tour de 18 étages. Piscine et jardin. 325 chambres.

LES ENVIRONS DU WDW/KISSIMMEE

Comfort Inn ▮-▮▮
8442 Palm Parkway, Lake Buena Vista, Florida FL32819
tél. (407) 239 73 00
fax (407) 239 77 40
Grand hôtel pour petits budgets. Piscine. 640 chambres.

Days Inn East of Magic Kingdom ▮▮
5820 W Irlo Bronson Memorial Hwy. (US192), Kissimmee,
Florida FL34746
tél. (407) 396 10 00
fax (407) 396 17 89
Pour petits budgets. 604 chambres.

Gala Vista Motor Inn ▮
5995 W Irlo Bronson Memorial Hwy. (US192), Kissimmee,
Florida FL34746
tél. (407) 396 43 00
Motel, piscine. 200 chambres.

Holiday Inn Maingate East ▮▮
5678 W Irlo Bronson Memorial Hwy. (US192), Kissimmee,
Florida FL34746
tél. (407) 396 44 88
fax (407) 396 89 15
Grand hôtel familial. Piscines, jeux pour enfants. 670 chambres.

Hyatt Regency Grand Cypress Resort ▮▮▮-▮▮▮▮
1 Grand Cypress Boulevard,
Orlando,
Florida FL32836
tél. (407) 239 12 34
fax (407) 239 38 00
Lieu de séjour aux vastes dimensions et centre de congrès, avec

terrains de golf, tennis, piscines, lac, centre de voile, centre équestre, grands jardins. 750 chambres.

Larson's Lodge Maingate I

6075 W Irlo Bronson Memorial Hwy. (US192), Kissimmee, Florida FL34747 tél. (407) 396 61 00

Hôtels pour les petits budgets. Piscines. 128 chambres.

Marriotts Orlando World Center IIII

8701 World Center Drive, Orlando, Florida FL32821 tél. (407) 239 42 00 fax (407) 238 87 57

Tour-hôtel de séjour avec centre de congrès, golf, tennis, piscines, nombreux restaurants et grands jardins. 1500 chambres.

Orange Lake Country Club II

8505 West Irlo Bronson Memorial Hwy. (US192), Kissimmee, Florida FL34747 tél. (407) 396 22 22 fax (407) 239 26 50

Chambres, appartements et villas dans un complexe hôtelier. Courts de tennis, piscine, terrain de golf et sports aquatiques sur le lac. 362 chambres/villas.

fuality Inn Maingate I- II

7675 West Irlo Bronson Memorial Hwy. (US192), Kissimmee, Florida FL34747 tél. (407) 396 40 00 fax (407) 396 07 14

Hôtel bon marché. 200 chambres.

Radisson Inn Lake Buena Vista III

8686 Palm Parkway, Lake Buena Vista, Florida FL32837 tél. (407) 239 84 00

Grandes chambres, piscines, jardins. 200 chambres.

Ramada Resort Maingate II

2900 Parkway Boulevard, Kissimmee, Florida FL34747 tél. (407) 396 70 00

Grand lieu de séjour sur un vaste domaine. Convient aux familles. Piscines, tennis. 400 chambres.

Sheraton Lakeside II

7769 West Irlo Bronson Memorial Hwy. (US192), Kissimmee, Florida FL34746 tél. (407) 239 79 19

Station familiale au bord du lac. Piscines, tennis, grands jardins, minigolf. 651 chambres.

ORLANDO: INTERNATIONAL DRIVE

Delta Orlando

5715 Major Boulevard,
Orlando,
Florida FL32819
tél. (407) 351 33 40
fax (407) 351 51 17

Hôtel familial pour les petits budgets. Piscines, jardin, tennis, minigolf. 800 chambres.

Gateway Inn

7050 Kirkman Road, Orlando,
Florida FL32819
tél. (407) 351 20 00
fax (407) 363 93 66

Hôtel familial bon marché. Piscines. 354 chambres.

Heritage Inn

9861 International Drive,
Orlando, Florida FL32819
tél. (407) 352 00 08
fax (407) 352 54 49

Hôtel charmant, avec piscine. 150 chambres, toutes avec véranda.

Howard Johnson

5905 International Drive,
Orlando,
Florida FL32819
tél. (407) 351 2100
fax (407) 252 29 91

Hôtel économique dans une tour ronde haute de 21 étages. Piscines, sauna. 302 chambres.

Peabody Orlando

9801 International Drive,
Orlando, Florida FL32819
tél. (407) 352 40 00
fax (407) 351 00 73

Tour de 27 étages avec centre de congrès. Tennis, grande piscine. 851 chambres.

Ramada Resort Florida Center

7400 International Drive,
Orlando, FL32819
tél. (407) 351 46 00
fax (407) 363 05 17

Bien situé avec piscines couvertes et en plein air, courts de tennis et jardin. 380 chambres.

Rodeway Inn International Drive

9956 Hawaiian Court,
International Drive, Orlando,
Florida FL32819
tél. (407) 351 51 00
fax (407) 352 71 88

Hôtel bon marché, construction basse autour de la piscine. 222 chambres.

Sheraton World Resort

10100 International Drive,
Orlando, Florida FL32821
tél. (407) 352 11 00
fax (407) 352 26 32

Petits bâtiments éparpillés dans de grands jardins. 788 chambres.

Sonesta Villa Resort III
10000 Turkey Lake Road,
Orlando, Florida FL32819
tél. (407) 352 80 51
fax (407) 345 53 84
Complexe de villas sur un vaste domaine. Tennis, piscines, golf à proximité. 369 chambres.

Stouffer Orlando Resort III
6677 Sea Harbor Drive,
Orlando, Florida FL32821
tél. (407) 351 55 55
fax (407) 849 18 39
Tour de 10 étages et centre de congrès; convient également aux familles. Piscines, tennis. 778 ch.

Twin Towers III
5780 Major Boulevard, Orlando,
Florida FL32819
tél. (407) 351 10 00
fax (407) 363 01 06
Tours de verre jumelles. Installation pour congrès. Piscines, jardin. 760 chambres.

ORLANDO: CENTRE-VILLE ET NORD

Choice Inn I
4201 S Orange Blossom Trail,
Orlando, Florida FL32809
tél. (407) 849 61 10
Petit hôtel bon marché, au sud du centre-ville. Piscine. 68 chambres.

Colonial Plaza Inn II
2801 E Colonial Drive,
Orlando, Florida FL32803
tél. (407) 894 27 41
Petit hôtel proche de Fashion Square. Piscine. 68 chambres.

Harley of Orlando II-III
151 E Washington Street,
Orlando, Florida FL32801
tél. (407) 841 32 20
Hôtel du centre-ville, sur la rive du lac. Piscine. 305 chambres.

Holiday Inn Winter Park II
626 Lee Road,
Winter Park,
Florida FL32810
tél. (407) 645 56 00
fax (407) 740 79 12
Situé à 6,5 km du centre-ville. Piscines. 202 chambres.

Omni Centroplex III
400 W Livingston Street,
Orlando, Florida FL32801
tél. (407) 843-6664
fax (407) 839 49 82
Proche du centre-ville et du centre sportif Centroplex. 300 chambres.

Radisson Plaza III
60 South Ivanhoe Boulevard,
Orlando, Florida FL32804
tél. (407) 425 44 55
Au centre-ville et proche de la I-4. Piscine, tennis. 337 chambres.

Restaurants recommandés

Vous trouverez partout des endroits où vous restaurer; ceux-ci sont généralement ouverts sept jours sur sept. Nous vous proposons un choix de restaurants, de snack-bars et autres établissements. Le manque de place ne nous permet pas de donner la longue liste de restaurants-express et des buffets « à gogo». A l'extérieur des parcs thématiques, des restaurants offrent des buffets bon marché à midi et un service complet le soir.

Chaque établissement est assorti d'un symbole indiquant sa catégorie de prix; ce dernier s'entend par personne pour un repas comprenant entrée ou salade, plat principal et dessert (boissons, pourboire et taxe de 6% non compris).

▮▮▮	$30 et plus
▮▮	$15-30
▮	jusqu'à $15

DANS LE WALT DISNEY WORLD

Akershus Restaurant ▮▮
Norway Pavilion, EPCOT
(réservations au World Key d'EPCOT)
Buffet norvégien de plats froids et chauds, avec hareng, saumon, fromage de chèvre et desserts.

Ariel's ▮▮▮
Beach Club Resort.
tél. (407) 934 33 57
Fruits de mer – homard à la vapeur ou grillé, clams, moules, poissons.

Au Petit Café ▮▮
France Pavilion, EPCOT
(pas de réservations).
Café en terrasse sous un velum. Cuisine française: salades, soupe à l'oignon, coq au vin, pâtisseries.

Biergarten Restaurant ▮▮
Germany Pavilion, EPCOT
(réservations au World Key d'EPCOT)
Veau, porc fumé, *bratwurst* et autres spécialités allemandes; avec des attractions typiques.

Bistro de Paris ▮▮▮
France Pavilion, EPCOT
(réservations au World Key d'EPCOT)
Ambiance française traditionnelle. Cuisine raffinée, colorée et inventive, avec une carte imaginée par des maîtres-cuisiniers.

Boatwright's ❚❚
Dixie Landings Resort
tél. (407) 934 60 00
Un décor de navire en construction. Cuisine américaine et cajun.

Bonfamilles ❚❚
Port Orleans Resort
tél. (407) 934 55 04
Décor «Vieux fuartier français» de la Nouvelle-Orléans. Plats créoles de Louisiane et américains: huîtres, langoustes et salades.

Cape May Café ❚❚❚
Beach Club Resort
tél. (407) 934 33 58
Palourdes à la mode de la Nouvelle-Angleterre tous les soirs. Buffets de produits de la mer.

Cap'n Jack's Oyster Bar ❚❚
Disney Village Marketplace
tél. (407) 828 39 00
Crabes, homards et huîtres, plats sans fruits de mer ou végétariens.

Le Cellier ❚❚
Canada Pavilion, EPCOT
(pas de réservation)
Cafétéria avec des plats canadiens et internationaux.

Chef Mickey's Village Restaurant ❚❚
Disney Village Marketplace
tél. (407) 828 39 00
Carte familiale de pâtes, de produits de la mer. Le chef, Mickey, fait le tour de la salle chaque soir.

Chefs de France ❚❚❚
France Pavilion, EPCOT
(réservations au World Key d'EPCOT)
fualité exceptionnelle du service et cuisine raffinée; spécialités créées par Bocuse, Vergé et par le maître-pâtissier Lenôtre.

Colonel's Cotton Mill ❚❚
Dixie Landing Resort
tél. (407) 934 60 00
Grand choix: buffet cajun, pizzas, pâtes, grillades, rôtis et desserts.

Contemporary Café ❚❚
Contemporary Resort
tél. (407) 824 10 00
Carte américaine et internationale: côtes premières de bœuf et bar à salades. Petits déjeuners-buffets avec des personnages de Disney.

Coral Café ❚❚
Walt Disney World Dolphin Hotel
tél. (407) 824 20 00, poste 6160
Situé à l'hôtel Dolphin (voir p. 68). Dîners à la carte ou dîners-buffets thématiques.

Coral Reef Restaurant ❚❚❚
The Living Seas Pavilion, EPCOT
(réservations au World Key d'EPCOT)

Situé face à un grand récif artificiel. La carte est composée essentiellement de bisques, de grillades, de poissons et de fruits de mer.

County Fair Restaurant
Hilton à Disney Village/Plaza
tél. (407) 827 40 00 poste 3091
Cafétéria et buffet; cuisine américaine, principalement poulet et bœuf au feu de bois, salades et desserts.

Crockett's Tavern
Pioneer Hall, Fort Wilderness Resort & Campground
tél. (407) 824 29 00
Steaks à l'américaine, poulet, salades, poissons et fruits de mer, servis «sans façons».

Dolphin Fountain
Dolphin (Sheraton)
tél. (407) 934 40 00 poste 6077
Bar glacier dans le style des années 50. Restauration rapide.

Empress Room
A bord de l'Empress Lilly, Disney Village Marketplace
tél. (407) 828 39 00
Même élégance que partout ailleurs dans le WDW. Cuisine «continentale» classique avec des sauces à la crème ou au vin.

End Zone Food Court
Disney All-Star Resorts
Des pizzas, des pâtes et divers sandwichs, servis dans un décor branché sport. Prix familles, avec réductions pour les enfants.

50s Prime Time Café
Disney-MGM Studios Theme Park
tél. (407) 560 77 29
Plongez-vous dans l'ambiance des années 50 en grignotant des mets en voguc à l'époque tels que le pain de viande ou le poulet grillé.

Fireworks Factory
Pleasure Island
tél. (407) 934 89 89
Géré par les restaurants Lévy de Chicago. Grillades, poulet fumé, poulet aux agrumes. Plats végétariens et basses-calories.

Fisherman's Deck
*A bord de l'*Empress Lilly*, Disney Village Marketplace*
tél. (407) 828 39 00
Spécialités de fruits de mer – crevettes, coquilles Saint-Jacques, poisson frais –, mais des plats végétariens ou sans fruits de mer sont également proposés.

Flagler's
Grand Floridian Beach Resort
tél. (407) 824 23 83
Cuisine italienne et internationale dans un cadre sympathique. Serveurs riment avec chanteurs.

Garden Grove ▮▮

Swan (Westin)
tél. (407) 934 30 00 poste 1618
Cuisine américaine; buffet présenté dans une serre spacieuse. Petit déjeuner avec des personnages de Disney.

Harry's Safari Bar and Grill ▮▮

Walt Disney World Dolphin Hotel
tél. (407) 934 40 00 poste 6155
Décor style safari. Fruits de mer et steaks grillés.

Hollywood Brown Derby ▮▮

Disney-MGM Studios
tél. (407) 560 77 29
Salades, grillades et pâtes dans un décor «Californie des années 30».

King Stefan's Banquet Hall ▮▮

Cinderella Castle, Magic Kingdom
tél. (407) 824 55 20
Décor médiéval, mais cuisine américaine du XXe siècle.

Land Grille ▮▮

The Land Pavilion, EPCOT (réservations au World Key d'EPCOT)
Restaurant tournant sur son axe, surplombant l'allée. Salades et légumes proviennent, pour une part, des serres du pavillon.

Liberty Tree Tavern ▮▮

Liberty Square, Magic Kingdom
tél. (407) 824 64 61
Décor recréant une auberge du XVIIIe siècle. Cuisine américaine «à la mode de la Nouvelle-Angleterre».

L'Originale Alfredo di Roma Ristorante ▮▮

Italy Pavilion, EPCOT (réservations au World Key d'EPCOT)
Veau, *osso buco*, pâtes. Les *fettucine all'Alfredo* sont la spécialité du chef.

Mama Melrose's Ristorante Italiano ▮▮

Disney-MGM Studios
tél. (407) 560 77 29
Cuisine italo-californienne: pâtes, pizzas au feu de bois.

Marrakesh ▮▮▮

Morocco Pavilion, EPCOT (réservations au World Key d'EPCOT)
Spécialités marocaines: couscous, kebabs, *tagine*. Spectacle de musiciens et de danseuses du ventre.

Narcoossee's ▮▮▮

Grand Floridian Beach Resort
tél. (407) 824 23 83
Situé au bord du lac, cuisine américaine typique et copieuse: homards, steaks et *sundaes*.

Old Port Royale
Caribbean Beach Resort
tél. (407) 934 28 30
Six comptoirs proposent des rosbifs, des grillades et des desserts italiens.

The Outback
Buena Vista Palace,
Disney Village/Plaza
tél. (407) 827 34 30
Steaks et homards sont la spécialité de ce restaurant «australien».

Palio
Walt Disney World Swan Hotel
tél. (407) 934 12 81
Spécialités de l'Italie du Nord dans un décor élégant.

Pompano Grill
Disney's Village Resort
tél. (407) 828 37 35
Spécialités de Floride. Décor «country club». Cuisine diététique.

Portobello Yacht Club
Pleasure Island
tél. (407) 934 88 88
Spécialités de l'Italie du Nord et de poisson.

Rose & Crown Dining Room
United Kingdom Pavilion, EPCOT (réservations au World Key d'EPCOT)
Spécialités britanniques: rosbif et *fish and chips* (poisson et frites).

San Angel Inn
Mexico Pavilion, EPCOT (réservations au World Key d'EPCOT)
Situé sur la promenade de la rivière du Temps. Plats mexicains traditionnels et originaux.

Sci-Fi Dine-In Theater Restaurant
Disney-MGM Studios
tél. (407) 560 77 29
Mangez dans des copies de voitures des années 50, en regardant des extraits de films de science-fiction. Sandwichs et salades.

Steerman's fuarters
*A bord de l'*Empress Lilly*, Disney Village Marketplace*
tél. (407) 828 39 00
Steaks et côtes premières grillées; quelques alternatives «sans bœuf».

Sum Chows
Dolphin (Sheraton)
tél. (407) 934 40 00 poste 6150
Cuisine du nord de la Chine dans un décor inattendu.

Tony's Town Square Restaurant
Town Square, Magic Kingdom
tél. (407) 824 67 93
Plats italiens classiques.

Traders ▮▮
Travelodge Hotel
Disney Village/Plaza
tél. (407) 828 24 24
Décor de plantation sucrière des Caraïbes. Fruits de mer des îles et recettes de steak internationales.

Trail's End Buffeteria ▮▮
Pioneer Hall,
Fort Wilderness Resort
tél. (407) 824 29 00
Cafétéria américaine avec buffet italien le samedi soir.

Victoria & Albert's ▮▮▮
Grand Floridian Beach Resort.
tél. (407) 824 23 83
Décor sophistiqué. Cuisine américaine et «continentale».

Yachtsman Steakhouse ▮▮▮
Yacht Club Resort
tél. (407) 934 33 56
Steaks grillés au feu de bois.

DANS LES ENVIRONS D'ORLANDO

B-liner Diner ▮▮
Peabody Hotel,
9801 International Drive, Orlando
tél. (407) 352 40 00
Encas ou repas 24 heures sur 24 dans un décor de chrome, verre et aux sons des années 50.

Bimini Bay ▮
Sea World,
7001 Sea World Boulevard
tél. (407) 363 24 68
Plats aux fruits de mer, encas et sandwichs. Ambiance détendue.

El Bohio ▮
5756 Dahlia Drive, Orlando
tél. (407) 282 17 23
Authentique café cubain: haricots, riz, banane plantain et bœuf haché.

Bonanza ▮
3615 West Highway 192,
Kissimmee
tél. (407) 396 75 36
Un buffet somptueusement garni.

Bubbalou's Barbeque ▮▮
1471 Lee Road, Winter Park
tél. (407) 628 12 12
Barbecue style sud des Etats-Unis. Atmosphère détendue.

Capriccio ▮▮▮
Peabody Hotel,
9801 International Drive, Orlando
tél. (407) 352 40 00
Authentique cuisine des campagnes italiennes.

Charley's Steak house ▮▮
6107 South Orange Blossom Trail,
Orlando
tél. (407) 851 71 30
Steaks, fruits de mer avec un buffet de salades.

Charlie's Lobster House ▮▮
Mercado Mall,
8445 International Drive, Orlando
tél. (407) 352 69 29
Fruits de mer et poissons: de quoi satisfaire toutes vos envies.

Cattleman's Steak House ▮
2948 Vineland Road, Kissimmee
tél. (407) 397 18 88
Les steaks grillés au feu de bois sont la spécialité de la maison.

Chatham's Place ▮▮▮
7575 Phillips Boulevard, Orlando
tél. (407) 345 29 92
Cadre élégant; cuisine inventive.

China Coast ▮▮
7500 International Drive,
Orlando
tél. (407) 351 97 76
Cuisine cantonaise sans prétention. Buffet économique à midi.

Chris's House of Beef ▮▮▮
801 John Young Parkway,
Orlando
tél. (407) 295 19 31
«Steakhouse» traditionnel. Rosbifs et steaks. fuelques incursions hors de la cuisine au bœuf.

Le Coq au Vin ▮▮
4800 S Orange Avenue, Orlando
tél. (407) 851 69 80
Vraie cuisine française du terroir.

Dardar ▮▮
The Market Place, 7600 Dr Philips Boulevard, Orlando
tél. (407) 345 81 28
Cuisine du nord de l'Inde dans un décor dans le style des Moghols.

Dux ▮▮▮
Peabody Hotel,
9801 International Drive, Orlando
tél. (407) 352 40 00
Restaurant raffiné et élégant; cuisine colorée et inventive, un peu trop audacieuse parfois.

Gary's Duck Inn ▮▮
3974 South Orange Blossom Trail, Orlando
tél. (407) 843 02 70
Malgré son nom, ce restaurant a les fruits de mer pour spécialité. Ambiance détendue.

Hard Rock Café ▮
Universal Studios Florida,
5800 Kirkman Road, Orlando
tél. (407) 351 76 25
Burgers, sandwichs, frites, avec du *rock* pour musique de fond. On peut y entrer depuis la rue ou depuis les studios.

Jordan's Grove ▮▮▮
1300 South Orlando Avenue, Maitland
tél. (407) 628 00 20
Cuisine américaine moderne et inventive. Cadre gracieux.

Lili Marlene's ▮▮
Church Street Station, Orlando
tél. (407) 422 24 34
Compris dans le complexe récréatif du centre-ville; décor évoquant les années 1890. Plats américains classiques.

Maison et Jardin ▮▮▮
430 Wymore Road South
Altamonte Springs
tél. (407) 898 66 34
Vieille maison à flanc de côteau et qui ressemble à un «country club». Menu international ambitieux.

Ming Court ▮▮▮
9188 International Drive,
Orlando
tél. (407) 351 99 88
Cuisine de Canton et d'autres régions de la Chine; décor raffiné.

Park Plaza Gardens ▮▮▮
319 South Park Avenue,
Winter Park
tél. (407) 645 24 75
Elégant jardin fermé où l'on peut déguster de la cuisine internationale ou française.

Pebbles ▮▮
12551 SR535, à Crossroads
Lake Buena Vista
tél. (407) 827 11 11
Des idées venues de tous les Etats-Unis (Californie, Key West, etc.) sont intégrées au décor et au menu.

Phoenician ▮▮
The Market Place, 7600 Dr
Philips Boulevard, Orlando
tél. (407) 345 10 01
Menu de la Méditerranée. Goûtez à tous les amuse-gueules et vous n'aurez plus faim.

Ran-Getsu ▮▮
8400 International Drive,
Orlando,
tél. (407) 345 00 44
Cadre élégant, cuisine japonaise raffinée: *sushi*, *sukiyaki*, *tempura*.

Rolando's ▮
870 Semoran Boulevard,
Casselberry
tél. (407) 352 96 77
Véritable cuisine cubaine dans une ambiance amicale.

Shogun ▮▮
6327 International Drive,
Orlando
tél. (407) 352 16 07
Version américaine du «steak house» japonais. Les chefs font partie du spectacle.

Siam Orchid ▮▮
7575 Republic Drive, Orlando
tél. (407) 351 08 21
Des saveurs venues de Thaïlande: piment, coriandre, citronnelle, ail, lait de coco, adaptées pour les palais américains ou telles que les apprécient les Thaïs.

C'est un soulagement quand le directeur crie «Coupez!». Il est tout aussi surprenant de voir la scène se reconstruire d'elle-même pour le prochain tremblement de terre.

Une autre grande attraction a ouvert ici en été 1993: **Jaws** (*Les dents de la mer*). Oui, il est de retour (croyez-le ou pas) – et c'est pour vous attrapper. Partez pour une promenade en bateau qui se termine presque en catastrophe lorsque le grand requin blanc de 10m attaque sans répit (avec un peu d'aide de la part d'effets spéciaux sophistiqués et d'une technologie de pointe!).

Après toute cette ingénierie contrôlée par ordinateur, le **Wild, Wild West Stunt Show**

Les célèbrissimes Blues Brothers *interprètent régulièrement leurs chansons et pirouettes dans la rue des studios Universal.*

parait démodé. C'est un spectacle rapide, adroit et drôle, avec de nombreuses chutes de toits et de cheval.

Expo-Center

Parmi les attractions proposées on trouve le **Animal Actors' Stage**, où certains secret des entraînements de chiens, chats et oiseaux-acteurs vous sont révélés. Les apprentis vous montrent de quoi ils sont capables. Ils ne font pas toujours ce à quoi vous vous attendez.

Le **ET's Adventure** est un gentil voyage à bicyclette galactique pour aider la planète d'ET, ceci grâce à de beaux effets spéciaux. La plus populaire des animations (on s'y précipite dès l'ouverture des portes) est **Back to the Future** (*Retour vers le futur*), qui conduit la technique du simulateur de vol vers de nouveaux sommets. Pendant que vous êtes bringuebalé dans des voitures DeLorean, les effets spéciaux et les images s'enroulent autour de vous sur les écrans sphériques OmniMax. L'histoire n'a que peu d'importance.

Le bâtiment en forme de guitare sur votre plan est le **Hard Rock Café**, un des plus grands du monde. (Vous pouvez y accéder depuis l'extérieur du parc, par une entrée séparée.) Si vous voulez rentrer dans le parc, faites-vous tamponner la main ici ou à l'entrée principale.

SEA WORLD

Sea World est le plus grand et le meilleur parc aquatique. **Shamu**, une gentille orque représentée dans le logo du parc, est la star, mais ici, les attractions variées peuvent facilement vous distraire et vous instruire toute la journée sans seulement que vous vous en rendiez compte. Si vous ne disposez que de 2 ou 3 heures, vous pouvez en faire le tour et voir la plupart des attractions.

Situé près de l'extrémité sud de l'International Drive, le parc de Sea World dispose d'un atout capital pour tout parc d'attractions: des panneaux indiquant la sortie à prendre sur la *highway* I-4. A l'entrée, on vous donnera une carte indispensable qui indique toutes les heures de chaque spectacle. Utilisez cette carte pour planifier votre visite. Les spectacles ne sont pas très éloignés les uns des autres, et leurs horaires ont été prévus de façon à ce que vous puissiez facilement vous rendre de l'un à l'autre, tout en visitant une ou deux attractions en chemin. Près de l'entrée, vous pouvez changer votre argent, louer des casiers, des fauteuils roulants et des poussettes en forme de dauphins, et vous renseigner sur toutes les visites spéciales.

Partout dans le parc, vous pouvez nourrir les dauphins, les phoques ainsi que les otaries dans leurs bassins.

Retour vers le futur conduit la technique du simulateur de vol vers de nouveaux sommets grâce à des écrans géants sphériques.

Les Spectacles

Au **Whale and Dolphin Stadium**, les dauphins dansent, font des sauts périlleux, des acrobaties et «serrent» la main à un enfant spectateur. Pendant ce temps, les baleines beluga prouvent qu'elles sont tout aussi intelligentes que les dauphins et presque aussi agiles.

Conscient des doutes émis par certains sur l'éthique de garder des animaux captifs, le Sea World souligne son rôle de sauvegarde et de recherche, et donne son appui à toutes sortes de causes «vertes». Les entraîneurs font beaucoup d'efforts pour mettre en valeur les soins prodigués aux animaux. Il est difficile de croire que ces derniers ne s'amusent pas, même si certains prétendent qu'ils ne le font que pour la nourriture.

Le **Sea Lion and Otter Stadium** est le lieu d'un spectacle de cirque démodé. Soit-disant situé à la préhistoire, il est particulièrement rapide et stupide. Les animaux jouent des tours aux hommes des cavernes, et transmettent un message écologique en ramassant des déchets. Le **Sea World Theater** projette *Window to the Sea*, un programme sur la recherche et la vie sous-marine, avec une remarquable séquence sur Shamu donnant naissance à son petit, Namu, en 1989. Dans la soirée, vous pourrez voir *Water Fantasy*, un spectacle de musique et de lumières.

Au **Shamu Stadium** au bout du grand lac, la grande famille des orques vedettes se donne en spectacle trois fois par jour et parfois le soir, lors du «Night Magic». C'est un spectacle à ne pas manquer; les immenses gradins sont remplis bien avant le début. Les 10 ou 12 premiers rangs devront s'attendre à être éclaboussés par des centaines de litres d'eau. Ne vous y installez pas si vous tenez à votre appareil-photo. L'agilité et la douceur des baleines de 4 tonnes vous émerveilleront autant que l'adresse de leurs entraîneurs, propulsés hors de l'eau sur le museau d'une baleine.

L'**Atlantis Waterski Stadium** est face au lac, entre Shamu Stadium et l'entrée. Le spectacle, deux à trois fois par

jour, a pour thème des cascades et des «ballets» nautiques. Si vous êtes allé à Cypress Gardens (voir p. 90), vous saurez à quoi vous attendre.

Les autres attractions à Sea World

Vous assisterez aux meilleurs spectacles à presque toute heure de la journée, sans trop d'attente. Au **Tropical Reef**, vous vous retrouverez dans une obscurité fraîche et face à des milliers de poissons évoluant dans un aquarium géant illuminé (les espèces incompatibles

Un bonjour de Sea World (en haut) et un splash de Wet 'n' Wild (ci-dessus).

sont dans des réservoirs séparés). A l'extérieur, vous pouvez nourrir les phoques.

Par une journée chaude et humide, vous envierez les pensionnaires du **Penguin Encounter**, un immense bassin réfrigéré à la température préférée des pingouins. Cinq tonnes de neige y tombent chaque jour! Les murs de verre vous laissent voir les résidents et leur démarche hilarante, leurs glissades, et puis leurs plongeons, qui les font ressembler à des torpilles.

Terrors of the Deep n'est pas vraiment terrifiant, malgré le fait que vous vous trouviez entouré d'une importante collection de requins et de poissons venimeux et mortels, tels que des anguilles, rascasses et poissons-globes. Vous êtes en toute sécurité dans un tunnel transparent épais de 15cm.

Passant des profondeurs aux hauteurs, montez au sommet de la **Sky Tower**, une aiguille de 122m; la vue vaut le détour (et le petit droit d'entrée).

Un supplément vous sera demandé pour les deux **visites guidées** spéciales. En suivant le **Behind the Scenes Tour**, d'une durée de 90 minutes, vous apprendrez tout sur les soins, l'entraînement, la nourriture et la reproduction des 8000 mammifères, oiseaux et poissons qui vivent ici. Quant au **Let's Talk Training Tour**, il vous permet d'assister à de véritables cours en direct.

Pour terminer, le Sea World offre un dîner-spectacle avec un **Luau polynésien**, en début de soirée, sur les berges du lac.

WET 'N' WILD

Vous pensez peut-être que les façons de monter des marches, de faire des glissades et de s'asperger dans une piscine peu profonde sont limitées. Ici, on a pensé à toutes et on en a inventé d'autres; il y a maintenant 14 glissades et toboggans différents. Situé sur l'*International Drive* (à Republic Drive, sortie 30A au sud de la I-4), le Wet 'n' Wild est proche des hôtels de cette région.

Des pentes douces, parfaites pour les bébés, au **Black Hole** (où vous êtes happé en spirale dans l'obcurité totale, avec un débit de 5 tonnes d'eau par minute), vous aurez de tout. Entre ces extrêmes, il y a la glissade boucle-à-boucle tubulaire, le Blue Niagara long de 61m, et bien d'autres encore.

Le **Bombay Bay** a ouvert en avril 1993. Ceux qui y montent se retrouvent dans un compartiment en forme de bombe et sont emmenés au dessus d'une chute d'eau haute de six étages. La situation est contrôlée par l'opérateur, qui peut vous donner des sueurs froides avant d'ouvrir la porte et et de vous expulser dans une chute libre de 23m.

Des sauveteurs sont sur place afin de vérifier que les gens ne prennent pas de risques, respectent le règlement ou ne sont pas en difficulté. Des machines génèrent des vagues de 1,2m dans la grande piscine. Si vous souhaitez un divertissement plus calme, vous pourrez suivre la Lazy River dans une chambre à air.

Tout cela constitue une merveilleuse façon de se rafraîchir, et qui change des parcs thématiques «secs». Comment Wet 'n' Wild soutient-il la comparaison avec le Typhoon Lagoon de Walt Disney World (voir p. 58)? Voici la réponse: Wet 'n' Wild a plus de glissades, et certaines d'entre elles sont plus impressionnantes; si vous cherchez des frissons, vous trouverez votre bonheur.

LE CENTRE D'ORLANDO

Dans le centre d'Orlando, les vieux bâtiments délabrés situés aux alentours d'une gare miteuse ont été intelligemment restaurés et agrandis, afin de créer la **Church Street Station** – un mélange de couleurs et de magasins, de restaurants, de divertissements, de rues à arcades, avec une vraie locomotive à vapeur. C'est un endroit relativement tranquille (et gratuit) la journée, mais vers 17h, les spectacles commencent et l'entrée est payante.

Vous avez choix entre les spectacles **Rosie O'Grady's Good Time Emporium**, un saloon du style 1900 avec des danseuses de cancan et du jazz de la Nouvelle-Orléans, et la discothèque **Phineas Phogg's Balloon Works**. En face, le

Cheyenne Saloon and Opera House est une fantaisie en bois, cuivre et vitraux de trois étages où l'on peut voir un groupe de «country», des spectacles, et manger «western». Depuis que les gens se rendent dans cette partie de la ville, on y trouve beaucoup de restaurants, bars et discothèques.

La locomotive reste en gare de Church Street Station, dans le centre d'Orlando.

A l'ouest de Church Street, de l'autre coté de la I-4, le **Performing Arts Center** met en scène des concerts, ballets en tournée et opéras; l'Arena abrite une équipe de basket professionnelle, l'Orlando Magic; le **Citrus Bowl** est un stade de football américain qui peut accueillir 70 000 spectateurs.

Les beaux quartiers résidentiels commencent au nord. A Loch Haven Park (sur la I-4, prenez la sortie 43 – Princeton Street – et allez vers l'est pendant 1,5km), faites un arrêt à

l'**Orlando Museum of Art**, petit mais éclectique. Des expositions temporaires alternent avec de l'art africain et américain, mais son principal attrait réside dans ses pièces précolombiennes du Pérou et du Mexique, datant de 2000 av. J-C à 1500 ap. J-C.

La période «avant Disney» persiste dans le **Winter Park**, district où les nantis du nord passaient déjà l'hiver en 1890. Les maisons de millionnaires ont été rejointes par des restaurants, des hôtels élégants et des magasins à la mode. Le **Morse Museum of American Art** (133 East Wellbourne Avenue) attire les amoureux de la verrerie art-nouveau, avec sa superbe collection de lampes Tiffany, de vases et d'époustouflantes fenêtres sauvés de l'incendie qui détruisit la maison new-yorkaise de Louis Tiffany (fils du bijoutier Charles).

KISSIMMEE

Une autoroute sans fin bordée de panneaux d'affichages, de motels, de stations-service, de stands de T-shirts et autres attrappe-touristes ne présage rien de bon sur la route de Kissimmee. Où est la vieille ville qui existait avant tout cela? Certainement pas à **Old Town**, un pastiche moderne avec des stands et des magasins spécialisés, sur la route US192, au N° 5770, près de la I-4. La ville abrite aussi le **Elvis Presley Museum**, qui dit posséder la plus grande collection après Graceland. Vous trouverez des traces du Kissimmee d'origine, petite ville éleveuse de bétail fondée en 1880, le long de Broadway et de Main Street. Il s'y déroule une vente de bovins le mercredi matin (au 805 East Donegan Avenue) et un rodéo deux fois par an.

Des machoires d'alligator géant marquent l'entrée de **Gatorland Zoo**, sur la route 441 près de Kissimmee. Cette ferme a pour but principal d'élever les alligators et crocodiles qui y résident (amoureux des animaux s'abstenir). Vous apprendrez à les différencier une fois là-bas. Puisque la race humaine semble fascinée par les reptiles, il a semblé normal de transformer cette ferme en une attraction pour touristes; d'autres animaux ont donc été ajoutés afin de créer un petit zoo. Vous pouvez visiter le parc en train et marcher au dessus d'un marais où les alligators aiment vivre; ce marais recouvrait une grande partie de la Floride avant la création des parc thématiques, et il en reste encore un peu dans les Everglades. La principale attraction est l'heure du repas: le Gator Jumparoo (quatre fois par jour) où l'on voit certains pensionnaires «sauter» (en fait ils se tiennent debout sur leur queue) pour attrapper une carcasse de poulet suspendue. «Vous avez vu le spectacle, maintenant mangez les acteurs»: la viande des reptiles n'est pas gaspillée; vous pouvez goûter de l'alligator grillé, et acheter ceintures, bottes, sacs à main et portefeuilles faits avec leur peau.

Les fous d'aviation ne doivent surtout pas manquer les **Flying Tigers Warbird Air Museum** à l'aéroport de Kissimmee (entrée sur North Hoagland Boulevard). Ceux qui y travaillent ont le génie pour faire revivre des avions historiques. Le hangar est rempli de trésors, tels qu'un Mustang de la deuxième Guerre mondiale, un Thunderbolt et un B-25 Mitchell. A l'extérieur, des jets des années 60 attendent d'être restaurés. De là, vous pouvez vous envoler dans le dirigeable aux couleurs de Shamu du Sea World, que vous avez vu survoler les parcs d'attractions.

Les excursions à partir d'Orlando

CYPRESS GARDENS

(*Allez vers l'ouest sur la* highway *I-4 en direction de Tampa, puis prenez la sortie US27 et suivez les panneaux pour Winter Haven; ensuite, allez directement à Waverly et suivez la route 540 sur environ 8km.*)
D'un accès facile, 65km au sud-ouest d'Orlando, près de la station de Winter Haven, ce parc de 90ha au bord d'un lac est un jardin botanique depuis les années 30, ce qui en fait le plus vieux parc thématique d'Orlando. Il est maintenant

plus célèbre pour ses **spectacles de ski nautique** plusieurs fois par jour. Certains champions du monde donnent des représentations, font des numéros de clown, et forment des pyramides humaines pendant qu'un ULM bourdonne au dessus d'eux.

Ce bruyant spectacle contraste avec le calme des jardins superbement entretenus et avec **les belles du Sud**, vêtues de crinolines et de jupons à cerceaux, qui déambulent parmi les fleurs ou font tournoyer leurs ombrelles, sourire aux lèvres malgré la chaleur accablante. La **Island in the Sky** de Kodak est une plateforme circulaire avec un bras mécanique qui élève des chargements de passagers, à 46m, à quelques minutes d'intervalle. Essayez

Le ski nautique paraît facile aux célèbres représentations de sauts et de cascades acrobatiques de Cypress Gardens, au sud d'Orlando.

d'être en haut pendant un spectacle de ski nautique. De retour sur terre, le **Southern Crossroads** est une réplique d'une ville de la campagne floridienne aux alentours de 1900.

Des bateaux électriques vous emmènent le long des canaux qui serpentent à travers les différents jardins, allant des plus habituels à une jungle tropicale, pendant que les guides vous parlent des 8000 espèces de plantes et de la vie sauvage. Malgré les efforts de la Busch Entertainment Corporation qui a ajouté plus d'attractions – un chemin de fer miniature, des trapézistes – il n'y aura probablement pas assez à faire pour vous occuper toute la journée. Vous pouvez acheter un billet combiné avec une réduction pour les trois propriétés Busch: Sea World (voir p. 82), Cypress Gardens et Busch Gardens, Tampa (voir p. 97).

Les jardins botaniques de Cypress Gardens avec leurs belles du Sud (à gauche), et la Bok Singing Tower (à droite).

BOK TOWER GARDENS

(*Continuez après la sortie Cypress Gardens sur l'US27 pendant 8km; prenez la route 17A jusqu'à Alt.US27, puis tournez à gauche sur Burns Avenue et continuez pendant 2,5km.*)

La plus haute colline de Floride ne s'élève qu'à 99m au dessus du niveau de la mer, mais elle se détache du paysage plat des environs de Lake Wales, au sud-ouest d'Orlando. Elle devint encore plus un point de repère lorsqu'Edward Bok, un

écrivain et éditeur new-yorkais né aux Pays-Bas, établit une réserve naturelle de 52ha et un jardin, et y fit construire un élégant beffroi de 62m. Bâtie en marbre gris et rose dans un mélange de styles gothique et art nouveau, la **Bok Singing Tower** abrite un carillon de 57 cloches qui joue différents airs toutes les demi-heures. Ils sont programmés à l'avance, mais à 15 heures, presque tous les jours, un sonneur donne, pendant 45 minutes, un récital.

Le son éthéré ne semble pas empêcher les oiseaux de chanter, et les promenades dans les jardins tranquilles et ombragés font un contraste idyllique avec le monde de béton, de plastique et de décibels excessifs des autres parcs thématiques.

SPACE COAST

(*D'Orlando, prenez le Beeline Expressway east directement pour cap Canaveral.*)

Voilà une promenade agréable de 80km, qui va de l'est d'Orlando (en passant par quelques péages) jusqu'à la côte, à l'endroit même où les astronautes partent pour l'espace. Le **John F. Kennedy Space Center** a envoyé le premier homme sur la lune en 1969. Il a accueilli les premiers lancements de la NASA, et abrite maintenant les navettes spatiales. Pour connaître la date du prochain décollage, lisez les journaux ou appellez le 1 800 432 21 53.

Qu'un lancement soit prévu ou non, le **Spaceport USA** (l'accueil des visiteurs) au Kennedy Space Center vaut le détour. Il est tout près de la NASA Causeway qui relie la route A1A et l'US Highway 1. Le **Rocket Garden** comprend certains des premiers véhicules de recherche et le genre de lanceur qui a mis les premiers Américains sur orbite (ils paraissent tout petits!). Vous pouvez monter à bord de l'*Ambassador*, une navette utilisée pour l'entrainement.

L'**Astronauts' Memorial** a été construit en hommage à ceux qui ont trouvé la mort dans l'exercice de leurs fonctions, lors de programmes spaciaux; œuvre d'art et merveille technologique, il tourne avec le soleil pour que la lumière

Quarante ans de recherche spatiale sont exposés au Rocket Garden du John F. Kennedy Space Center.

se reflète et illumine les noms, qui semblent flotter.

Des spectacles et des expositions multimédias expliquent la fantastique technologie des voyages dans l'espace, et une roche lunaire est exposée.

La visite est gratuite, mais vous devrez payer pour la faire en bus et pour voir les films IMAX. Rejoignez la queue pour les tickets aussi tôt que possible, et planifiez ce que vous voulez faire à l'avance. Le **Red Bus Tour** vous emmène voir les instants marquants du programme d'atterrissage sur la lune, comprenant le gigantesque **Vehicule Assembly Building** (VAB) de 158m, la plus grande pièce du monde. Vous ne pourrez pas vous en approcher si la navette est en préparation pour un lancement, et le chemin emprunté par le bus peut varier. Vous pourrez inspecter Saturn, l'énorme fusée lunaire abandonnée lorsque les dernières missions furent annulées. Au **Mission Control**, une pièce remplie de bureaux et d'écrans, la technologie semble un peu archaïque (mais elle marchait!).

Le **Blue Bus Tour**, plus approprié pour les fans de fusées,

traite de l'histoire du programme de fusées habitées.

Les **films IMAX**, qui durent 40 minutes, sont projetés sur des écrans géants hauts de cinq étages et sont saisissants. *The Dream is Alive* (que l'on peut aussi voir au Air & Space Museum de Washington DC) raconte l'histoire de la navette, avec de nombreux extraits pris par les astronautes à l'intérieur et à l'extérieur du vaisseau en orbite. *Blue Planet* est impressionant par sa beauté et fascinant pour la remarquable leçon de géographie qu'il contient.

Les premiers astronautes avaient pour habitude de se détendre, nager et faire du surf à **Cocoa Beach**, une île au sud du Space Center. Vous pouvez prendre exemple sur eux, même si la station est plus grande maintenant. Les dunes sont aussi un endroit privilégié pour voir décoller les navettes.

Que l'on pratique le surf ou la bronzette, on ne rate pas un lancement de navette spatiale depuis la plage de Cocoa Beach.

BUSCH GARDENS

(*Prenez la I-4 direction ouest pour Tampa et sortez à la I-75. Prenez la sortie 54.*)
A 75 minutes de Walt Disney World, dans un parc de 120ha au nord-est de Tampa, les géants de la bière Anheuser-Busch ont accumulé les attractions comme s'ils voulaient surpasser tous leurs rivaux à la fois. Le parc a pour thème le début du siècle en Afrique, avec plus de 3400 animaux, dans une **architecture de style marocain**. Il est prudent de prendre une carte à l'entrée car l'agencement est déroutant.

L'attraction principale est constituée de 32ha de plaines du **Serengeti**, avec ses grands mammifères et ses troupeaux de zèbres et d'antilopes que l'on observe depuis les téléphériques, le monorail ou un train désuet. Il y a aussi un «zoo pour caresses» destinés aux plus petits, et le parc combat pour la reproduction des espèces en danger.

Vous entendrez l'appel de la nature au **Myombe Reserve: the Great Ape Domain**, où les gorilles et les chimpanzés des basses terres vivent en toute liberté (ou presque) dans leur milieu naturel (suivez une visite auto-guidée).

Un biplan anglais dans le Sahara? Non, vous êtes à Busch Gardens, près de Tampa.

Le spectacle du **World of Birds** est un des meilleurs de l'Etat – à ne pas manquer.

Lorsque vous en aurez assez des animaux, descendez la rivière Congo sur un **radeau**, criez sous le **raz-de-marée du Tanganyika**, avec sa chute de 17m, ou dirigez-vous vers **Stanley Falls** pour une balade sur des rondins. Puis vous pourrez vous retrouver la tête en bas dans le Python, le Scorpion ou le Kumba, **montagnes russes** qui défient la mort; vous pourrez aussi emmener les plus petits dans un parc avec des attractions plus sages.

Il y a des spectacles partout, et même un **spectacle sur glace** et un **Questor** (un simulateur de vol). Après toute cette excitation, vous pourrez visiter la **brasserie** (l'Hospitality House), mais seulement si vous avez 21 ans ou plus.

A 1,5km de Busch Gardens, l'**Adventure Island** est un parc avec chutes, vagues et le nouvel Aruba Tuba, un toboggan de 128m mis en service au printemps 1993. Le parc est fermé l'hiver et n'ouvre que les week-ends en automne.

Que faire

Il est, au Walt Disney World, des tasses sur lesquelles Mickey se tient la tête entre les mains, avec ce commentaire: «Il y a tant de choses à faire ici.» C'est vrai, mais pas de panique! Vous ne pourrez pas tout voir, alors établissez votre programme en fonction de vos possibilités. Un conseil: faites des pauses, surtout en été, pour vous relaxer. Faites du sport et suivez les séances d'entraînement organisées à l'extérieur des trois parcs principaux.

Les sports

Le climat de Floride est propice aux sports aquatiques. Même en hiver, le soleil peut tenter et l'eau des piscines est toujours chaude. La plupart des visiteurs ne voient jamais les terrains de golf et certains golfeurs ne visitent jamais les parcs! Ajoutons qu'il y a de nombreux équipements. C'est une merveilleuse station de sports qui s'offre à vous.

Le bateau et le canoë

Le Walt Disney World possède tout un réseau de voies d'eau entre petits et grands lacs. La majorité de ses centres de loisirs, installés sur la rive d'un lac ou d'un canal, sont dotés de places d'amarrage et de marinas. On peut y louer des bateaux de plaisance.

Seven Sea Lagoon et *Bay Lake*, les lacs jumeaux des Magic Kingdom Resorts, sont le lieu idéal pour la **voile**. Vous y trouverez des monocoques et des catamarans. Vous pouvez aussi y louer un bateau avec chauffeur et tout l'équipement pour faire du **ski nautique**.

Le canal de Fort Wilderness convient au **canoë** et, au bord du lac, vous pouvez louer un **pédalo**. Si vous aimez les embarcations motorisées, choisissez entre un radeau à moteur, un hors-bord ou un canot. Les gilets de sauvetage sont compris dans la location.

Mis à part Disney World, plusieurs complexes hôteliers disposent de lacs et d'installations pour pratiquer les sports nautiques. Les Ski Holidays

(Lake Brian Drive) proposent ski nautique et jet-ski; Splash 'n' Ski (Turkey Lake Road), la voile, le bateau de plaisance et le ski nautique; et Airboat Rentals (Vine Street, Kissimmee), l'aéroglisseur et le canoë.

La pêche

C'est une surprise pour la plupart des visiteurs de découvrir que la pêche est autorisée; toutefois, elle est réglementée. L'empoissonnement des lacs et canaux et une stricte politique de l'environnement ayant pour conséquence la multiplication des poissons, les visiteurs sont autorisés à pêcher sur les rivages proches du Fort Wilderness et dans les canaux du Village Resort. Quelques personnes peuvent prendre part à des expéditions sur le Bay Lake (départ tous les jours à 8h

et une ou deux heures plus tard); la réservation est obligatoire et le tarif est élevé, mais vous avez des chances de ferrer quelque belle perche. Le matériel et les appâts sont fournis, ainsi que des boissons.

La pêche n'est cependant pas limitée à Disney World: la Floride abonde de rivières et de lacs d'eau douce, tels que le Lake Tohopekaliga (en abrégé Toho) à Kissimmee.

Le golf

Avec l'ouverture, en 1992, de deux nouveaux parcours, le Walt Disney World est devenu le plus grand centre de golf de Floride. Le 18-trous de championnat a bonne réputation auprès des amateurs et des professionnels; il y a aussi un 9-trous pour les familles et les débutants. Les prix d'inscription sont élevés pour la Floride (après 15h, il y a des réductions), mais les installations sont de premier ordre. Sauf pour le 9-trous, il vous faudra louer une voiturette.

Les fairways des parcours **Magnolia** et **Palm** flanquent la Disney Inn, près du Polynesian Resort, dans le Magic Kingdom. Quant au 9-trous **Executive,** il jouxte le Magnolia. Le **Lake Buena Vista**, un petit parcours, plus étroit et plus court, est situé dans la zone du Disney Village; il possède son

La côte floridienne recense une bonne dizaine de façons différentes de se mettre à l'eau.

propre clubhouse. Le nouveau **Bonnet Creek Golf Club**, dans une région boisée au nord de Dixie Landings Resort s'enorgueillit des parcours **Eagle Pines** et **Osprey Ridge**. Les parcours ont chacun leurs caractéristiques, mais ils sont tous par 72 et se jouent sur 6400m depuis les tees de championnat. Si des bunkers sont en oreilles de Mickey, ils n'en sont pas moins ardus – les parcours Disney ont longtemps fait partie du *US pro tour*.

Vous pouvez louer ou acheter tout ce dont vous aurez besoin dans les boutiques des clubs. Si vous décidez de progresser dans la maîtrise de ce sport, vous pourrez suivre des cours assistés par vidéo au Magnolia driving range; des leçons avec des professionnels résidents peuvent être arrangées auprès des trois clubs.

Walt Disney World n'est pas le seul centre de golf à Orlando: des complexes hôteliers, tels le Hyatt Regency Grand Cypress et le Marriott World Center, en ont un, et les clubs tel que l'Orange Lake Country Club à Kissimmee font foison.

La natation

Outre les **parcs aquatiques** River Country (voir p. 59) et Typhoon Lagoon (voir p. 58), chaque centre de loisirs et chaque hôtel du Walt Disney World possède au moins une piscine, souvent aménagée autour d'un thème avec des glissades pour les enfants. Si vous vous adonnez à la natation de fond, les enfants peuvent être un sérieux obstacle, sauf dans les très grandes piscines à ciel ouvert du Swan, du Dolphin et du Contemporary Resort.

Il y a aussi les **plages**. La mer est à une heure de route du Walt Disney World, mais cela n'a pas arrêté Disney. Les stations lacustres ont des plages de sable fin, ombragées et avec des chaises longues pour y prendre des bains de soleil – et l'eau y est pure.

Le **maîtres-nageurs** (*Lifeguards*) veillent (dans le cas contraire, un panneau vous en avertira). Les équipements des centres, piscines ou plages, ne sont accessibles qu'aux résidents des hôtels et camping du Disney World. mais la plupart des hôtels/motels ont un bassin d'une sorte ou d'une autre.

Pour sortir de Walt Disney World, essayez le parc aquatique **Wet 'n' Wild** (voir p. 86) et **Cocoa Beach**, près de cap Canaveral, dont la superbe plage accueille chaque année des championnats de surf. Pour une sortie un peu plus tranquille, descendez au sud vers les plages de Satellite et Indialantic, qui ne sont qu'une petite partie d'une étendue de sable de 100km de long.

Le tennis

Plus de deux douzaines de courts attendent les amateurs. Ils sont répartis entre les Floridian et Contemporary Resorts, la Disney Inn et le Fort Wilderness dans le Magic Kingdom; entre les «mondes» de Swan et de Dolphin, les Yacht and Beach Clubs d'EPCOT et le Village Clubhouse. Vous n'aurez aucun problème pour faire vos réservations, les visiteurs étant probablement plus intéressés par les parcs thématiques ou par un repos bien mérité après tant d'efforts.

Raquettes et balles peuvent être louées ou achetées sur place et si vous êtes décidé à améliorer vos revers, vous pourrez prendre des leçons et profiter de l'enseignement assisté par vidéo dispensé au Contemporary Resort.

Nombre d'autres hôtels et clubs disposent de courts de tennis, tel l'Orange Lake Country Club à Kissimmee et l'Orlando Tennis Center.

Autres activités

En Floride, on a découvert le **volleyball**; vous pourrez vous y adonner sur les plages des centres de loisirs Disney, au Typhoon Lagoon (voir p. 58), ainsi qu'au Fort Wilderness où vous trouverez aussi des terrains de **basketball**.

Les hôtels vous fourniront un plan des pistes de **jogging** les plus pittoresques longent le lac à la Carribean Beach, au Disney Village et au Fort Wilderness. Vous pourrez louer une **bicyclette** aux Carribean Beach, Dixie Landings, Port Orleans, Fort Wilderness Resorts et au Recreation Center à

Disney Village. Au Contemporary Resort, aux Grand Floridian, Dolphin, Swan, Yacht et Beach Clubs et à la Disney Inn, des **clubs de santé** mettent à la disposition des hôtes de Disney des appareils d'entraînement, des classes et toutes sortes d'installations. Pour une **promenade à cheval**, allez au Fort Wilderness et aux Poinciana Riding Stables à Kissimmee, à moins que vous ne préfériez la **marche à pied** ou l'**observation des oiseaux** le long des itinéraires aménagés. Le **patinage à glace** se pratique à l'Orlando Ice Skating Palace ou à l'Ice Rink International (à Orlando).

Vos achats

Des nombreuses boutiques réparties au milieu des attractions des parcs thématiques ont déjà été mentionnées dans les sections consacrées au Magic Kingdom, à EPCOT et aux studios Disney-MGM. Mais les opportunités d'achats ne sont pas épuisées pour autant. D'autres endroits où laisser filer l'argent entre vos doigts vous attendent à l'extérieur des parcs; vous n'avez besoin ni de billet d'entrée ni de ticket de parking.

Proches du Village Resort et voisines de Pleasure Island, les 18 boutiques de **Disney Village Marketplace** font face à l'eau. Les arbres rendent la promenade agréable, même quand il fait chaud. Différents restaurants vous permettent de déjeuner ou dîner sur place.

Mickey's Character Shop offre le plus grand choix d'articles Disney. Les boutiques de **Pleasure Island** sont offertes à votre curiosité dès 10h du matin et vous pouvez les explorer jusqu'à 19h; profitez pour visiter le reste de cette île à la lumière du jour.

C'est ici que vous trouverez les plus étranges échoppes de Disney World; comme elles peuvent changer de nom et de domaine, une liste serait vite obsolète. Notons cependant **Suspended Animation**, originaux et reproductions de Disney, et **Jessica's**, accessoires ayant pour thème la somptueuse épouse de Roger Rabbit.

Les côtes de Floride proposent une multitude de plages sablonneuses, sans aucun problème d'accès depuis Orlando.

En général, les boutiques du Walt Disney World sont spécialisées dans les souvenirs, les cadeaux ou les objets pour collectionneurs. Si vous cherchez un centre commercial typiquement américain, vous en trouverez un aux **Crossroads of Lake Buena Vista**, au bout de la rue où sont situés la plupart des hôtels «officiels» de la Village Plaza (ou quittez la I-4 à l'embranchement SR536 direction nord et tournez tout de suite à droite). Il y a là un excellent supermarché, avec un traiteur, un café et une pharmacie. Au centre commercial des Crossroads, vous trouverez un bureau de poste, une banque, une librairie, une blanchisserie, des boutiques et des restaurants express.

Si vous cherchez à vous habiller, vous trouverez votre bonheur hors du Walt Disney World, dans l'un des **shopping malls** d'Orlando. Ces grands ensembles regroupant des dizaines de magasins aux noms célèbres sont aussi épuisants à arpenter que les allées des parcs thématiques.

Le Florida Mall se trouve dans Sandlake Road, au nord d'International Drive; Fashion Square Mall, près du centre-ville d'Orlando, dans East Colonial Drive. L'Exchange, dans Church Street Station et la vieille ville, sur l'US192, dispose de nombreux magasins parmi les restaurants et les loisirs (voir p. 106). Chaque banlieue a son centre commercial. Park Avenue, dans Winter Park, au nord d'Orlando, est rempli de boutiques chic.

Les magasins **Discount** et «**factory outlet**» (en direct de l'usine) valent la peine d'être visités si vous avez le temps de fouiner parmi des montagnes d'objets bon marché. Essayez Belz Factory Outlet Mall et Quality Outlet center, proches d'International Drive.

Les loisirs

Le Walt Disney World est entièrement voué aux divertissements. Et il y en a pour tous les goûts dans la région qui englobe Orlando et Kissimmee. Consultez l'*Orlando Sentinel*, et surtout le week-end, pour la liste des **concerts**, des ballets, des opéras et des pièces de théâtre. Si vous avez la force de **danser** après une journée dans un parc, night-clubs et discothèques sont ouverts jusqu'à 2h du matin. Le complexe JJ Whispers (Lee Road, Orlando) regroupe sur plusieurs étages spectacles, night-club et discothèque. Idem chez Church Street Station, de part et d'autre d'une rue à arcades au centre-ville.

A Wolfman Jack's dans la vieille ville, à Kissimmee, des musiciens jouent du rock 'n' roll, et à Sullivan's Trailways Lounge, on danse sur de la musique country et western.

Les dîners-spectacles

Les forfaits restaurant/spectacle font fureur dans la région touristique d'Orlando, et certains centres de loisirs Disney ne restent pas en arrière. Il n'est pas nécessaire d'être sur place pour y aller; il suffit de faire une réservation, ce qui est difficile pour la **Hoop-Dee-Doo Musical Revue** du Fort Wilderness Campground, qui mêle le dynamisme de la comédie, des chansons et des danses et le «caractère» de la cuisine campagnarde.

La **Polynesian Revue**, du Polynesian Resort, est dans le style «Hawaï» – d'où viennent la plupart des artistes; la cuisine des mers du sud y a été adaptée au goût américain. Quelques-uns des artistes et personnages de Disney font une apparition, en fin d'après-midi, dans la **Mickey's Tropical Revue** pour les enfants – et leurs parents... s'ils le désirent, bien sûr.

Au sommet du Contemporary Resort, **Broadway at the Top** accompagne un très élégant dîner, avec de la musique pour danser ainsi que quelques numéros populaires.

Vous pouvez aussi manger et vous divertir à EPCOT, au Marrakesh (pavillon du Maroc, voir p. 48) et au Biergarten (Allemagne, voir p. 47).

En dehors de Disney World, les dîners-spectacles sont parfois plus agités, le vin ou la bière à volonté aidant. Les prix sont très compétitifs, la nourriture copieuse (en général du bœuf, du poulet, ou les deux), et le service efficace. Même si ces dîners se pratiquent depuis des années, leurs organisateurs font preuve d'enthousiasme.

Vous pourrez voir **Medieval Times** (Highway 192, Kissimmee), un tournoi moyenâgeux mené par d'excellents cavaliers; **King Henry's Feast** (International Drive, Orlando), avec le roi aux multiples épouses s'amusant comme un fou; le **Brazil Carnival** (Republic Drive, Orlando), où vous serez transporté au carnaval de Rio; et **Arabian Nights** (West Irlo Bronson Memorial Highway, Kissimmee), où figurent 60 chevaux, des cascadeurs et des courses de chars.

Pleasure Island

Le soir, pour se distraire, les visiteurs se rendaient au centre d'Orlando. La société Disney, consciente des pertes subies, décida de mettre sur pied une vie nocturne de son cru. Le résultat en est ce complexe de bars, de dancings, de comédies et d'orchestres. Le décor représente un port ravalé. Restaurants et boîtes de nuit ont investi les entrepôts et des spectacles se donnent dans les rues, soit en guise d'«apéritif», soit quand la foule envahit la voie publique pour faire la fête.

Durant la journée, la visite de Pleasure Island est gratuite, l'entrée dans les restaurants l'est en tous temps. Pour avoir accès aux boîtes de nuit, achetez un billet à l'entrée principale (sauf si vous avez un Super Pass 5-jours).

Les clubs ouvrent vers 19h (cependant vous ne verrez guère de visiteurs si tôt dans la soirée) et leurs activités durent jusqu'à 2h du matin. Il est difficile de dire quel endroit sera le plus animé, et à quel moment. Les gens vont de l'un à l'autre avant de choisir, vers les 22-23h. Le **Mannequins Dance Palace** est la discothèque la plus branchée, avec piste de danse tournante et éclairages sophistiqués. Au **X-ZFR** (prononcez zéphir) **Rock and Roll Beach Club**, se produisent des orchestres de rock. Le **Neon Armadillo** est consacré à la musique country «live». A la **Cage** vous entrez dans le souterrain «progressiste» de MTV.

L'**Adventurers' Club** est une curiosité. Est-ce un musée, un bar ou la tanière d'un excentrique? Parfois, rien ne se passe et vous avez tout loisir de siroter un verre en étudiant les fausses reliques de prétendues expéditions. Mais il arrive que d'étranges personnages débarquent et vous régalent – en anglais – d'histoires à dormir debout. Soyez attentif aux effets spéciaux: certains objets peuvent ne pas être tout à fait ce dont ils ont l'air.

Vous ferez la queue pour entrer dans la **Comedy Warehouse**. De jeunes espoirs et des comiques confirmés prêtent leurs talents aux spectacles (de 19h à 1h du matin).

La consommation d'alcool dans les clubs n'est autorisée qu'aux plus de 18 ans (21 ans en ce qui concerne les Mannequins et la Cage). Ayez donc votre passeport avec vous.

Au centre d'Orlando, le complexe de loisirs **Church Street Station** propose lui aussi aux noctambules toutes sortes d'activités (voir p. 87).

Des centaines de kilomètres de canaux offrent un cadre idéal pour pratiquer le canoë.

Les films

Si vous recherchez des divertissement plus calmes, allez voir les films les plus récents (pas uniquement ceux de la production Disney) sur les 10 écrans du complexe **AMC**, situé à côté de Pleasure Island.

La première séance de la soirée est meilleur marché. Les classiques de Disney et les nouveautés sont parfois projetés dans les centres de loisirs et au Fort Wilderness. Pour tout renseignement, adressez-vous aux *Guest Services*.

Les plaisirs de la table

Les nouveaux arrivants n'en croient généralement pas leurs yeux, tant il y a de choses à manger et d'endroits pour le faire! La Floride etant grande productrice de bœuf, de poisson, de crustacés, de salades, de légumes, et le numéro un mondial pour les agrumes, les meilleurs restaurants servent les produits frais de la région.

La compétition qui s'y exerce maintient les prix des repas américains (c'est-à-dire steak, barbecue ou poulet frit accompagné d'un buffet ou de salades variées) à des niveaux raisonables. Essayez la cuisine italienne, chinoise, japonaise, ou l'une des autres variétés offertes. Notre section pp. 73 à 80 vous aidera à choisir.

Dans les parcs, on s'amuse tellement qu'on en oublierait presque de manger. Cependant, les occasions de se restaurer ne manquent pas: elles vont du snack-bar au restaurant de luxe. Si les snacks traditionnels sont toujours très populaires, la nourriture devient plus saine, et la mode est aux salades, aux fruits frais et aux yaourts glacés. Les buffets et restaurants des parcs et hôtels sont loin de proposer des menus innovateurs, mais leurs décors comptent autant que leur nourriture!

La plupart des visiteurs préfèrent ne pas s'asseoir pour un long repas. Ils peuvent acheter un en-cas à la charette d'un marchand, avant de rejoindre la file d'attente d'une attraction. Coopérant avec l'inévitable, même les restaurants les plus formalistes servent des mets simples et des sandwiches à l'heure du déjeuner.

AU MAGIC KINGDOM

Voir pp. 73 à 78 la liste des restaurants du Magic Kingdom. Seuls deux restaurants acceptent de réserver (sur place): le King Stefan's Banquet Hall du château de Cendrillon, et le Tony's Town Square.

Si vous êtes pressé, le Crystal Palace, proche de la Plaza centrale, est la cafétéria qu'il vous faut. La Tomorrowland Terrace, quant à elle, est un grand restaurant-express.

Il est à noter qu'on ne sert pas de boissons alcoolisées au Magic Kingdom.

A EPCOT

Vous n'iriez pas au Magic Kingdom simplement pour manger, mais à EPCOT oui. (Voir pp. 73 à 78 la liste des restaurants d'EPCOT.) Le Future World a toute une gamme de restaurants-express et de snack-bars, ainsi que deux restaurants traditionnels. Ce qui rend EPCOT différent, c'est qu'on y trouve au moins un restaurant dans chaque pavillon de la World Showcase.

Il est nécessaire de réserver dans les restaurants. Faites vos réservations au centre d'information de l'Earth Station grâce aux écrans sensitifs; elles doivent être faites pour le jour même (et le plus tôt possible pour les endroits les plus prisés). Les réservations pour le déjeuner en seront facilitées et pourront se faire aussi bien au restaurant qu'à l'Earth Station.

Un service de réservations par téléphone est disponible pour les résidents des hôtels et du camping Disney.

Le Future World

Il y a deux restaurants traditionnels: le Land Grille du pavillon Land, et le Coral Reef, dans le pavillon Living Seas.

Dans le Future World, pour des repas plus rapides et sans formalités, allez aux bâtiments du CommuniCore ou au complexe d'Odyssey à côté du World of Motion, et pour un snack, au Pure & Simple dans les Wonders of Life.

La World Showcase

Nous continuerons à suivre le sens des aiguilles d'une montre (voir pp. 16-49). La **San Angel Inn** dominant le parcours du bateau de la rivière du Temps, dans le pavillon du **Mexique**, est le «rejeton» d'un fameux restaurant de Mexico. Il propose une cuisine mexicaine bien plus riche que celle connue au Etats-Unis, quoique moins relevée que dans le

Faites vos achats la nuit à Cocoa Beach (ci-dessus) ou remontez le temps jusqu'aux années 50 aux studios Universal (à droite).

pays. La **Cantina de San Angel**, au bord du lagon, propose des plats Tex-Mex.

Dans les buffets froids colorés de l'**Akershus**, le restaurant du pavillon de **Norvège**, on trouve de tout: harengs salés et épicés, fromages norvégiens et desserts.

Les **Neufs Dragons**, du pavillon de **Chine**, offrent différentes cuisines régionales, du Sichuan à Canton.

Au **Biergarten**, dans le pavillon d'**Allemagne**, on sert saucisses, rosbif, choucroute et des chopes de bière, le tout agrémenté par des yodleurs et des danseurs typiques.

Toute la palette classique de la cuisine d'**Italie**, des pâtes aux excellentes glaces, est à la carte de l'**Originale Alfredo di Roma Ristorante**.

La **Liberty Inn** porte haut, comme il se doit, la bannière des **Etats-Unis** avec ses burgers, ses grands sandwiches et ses chaussons aux pommes traditionnels.

Au **Teppanyaki Dining Rooms**, dans le pavillon du **Japon**, les dîneurs sont assis en rond autour d'un gril sur lequel le cuisinier fait frire les aliments de leurs choix. Le **Tempura Kiku** sert des fruits de mer et des légumes frits. La **Yakitori House** est spécialisée dans les grillades. Les amateurs de sushi, quant à eux, se retrouveront dans la salle **Matsu No Ma**.

Couscous, kebabs, agneau rôti et desserts au miel figurent à la carte du **Marrakesh**, dans le pavillon du **Maroc**.

Il s'agit, dans le pavillon de la **France**, de faire son choix entre l'élégance des **Chefs de France**, le confort du **Bistro de Paris** et le plein air du **Petit Café** (où vous n'avez pas besoin de réserver, mais où il vous faudra peut-être patienter pour avoir une table).

La cuisine du **Royaume Uni** est représentée par les *fish and chips*, les pâtés aux steaks et rognons, les fromages et les diplomates à l'anglaise, servis au **Rose & Crown Dining Room**.

Le Cellier, dans le pavillon du **Canada**, est populaire auprès de ceux qui n'ont pas de réservation (la file d'attente est parfois longue). Aux rosbifs, saumon et salades familiers sont venus s'ajouter les pâtés de porc des Québecois, les fromages canadiens et les desserts arrosés de sirop d'érable.

LES STUDIOS DISNEY-MGM

La nourriture y est typiquement américaine. Les divertissements et les décors sont thématiques – des années 30 aux années 50. Les réservations pour les restaurants – le Mama Melrose's, le Sci-Fi Drive-In Diner, le Hollywood Brown Derby et le 50s Prime Time Café – se font sur place (voir pp. 73-78).

Pour ceux qui, comme le lapin blanc d'Alice, ne veulent pas perdre de temps, des comptoirs et des éventaires se trouvent à chaque coin du parc.

DANS LES HÔTELS

Chaque hôtel Disney répond à toutes les attentes de ses clients, mais la carte des restaurants correspond au thème de l'hôtel (voir pp. 66-72).

Voici trois restaurants hors du commun: le Palio du Disney World Swan, le Harry's Grill du Disney World Dolphin, et le Cape May Café du Beach Club, qui propose chaque soir des palourdes au four.

AILLEURS DANS LE WALT DISNEY WORLD

Les clubs de **Pleasure Island** restent fermés jusqu'à 19h, mais les restaurants sont ouverts dès 11h et les snack-bars encore plus tôt. Trois restaurants vous accueillent à bord du bateau *Empress Lilly* (baptisé d'après Lillian, la femme de Walt Disney) ancré près de **Disney Village Marketplace**. Le Fisherman's Deck propose du crabe, du homard et une spécialité maison: la *primavera* aux fruits de mer. Le Steerman's Quarter tentera les carnivores avec des côtes premières, et des *porterhouse steaks* (Chateaubriand).

Quant au cadre Louis XV de l'Empress Room, c'est l'un des plus raffinés qu'on puisse imaginer et la carte évoque les restaurants des grands hôtels du temps jadis.

Sur la terre ferme, la Marketplace offre un vaste choix: les hôtels Plaza ont chacun leur restaurant. Aux Crossroads à Lake Buena Vista, vous trouverez des restaurants n'appartenant pas à l'empire Disney.

BERLITZ-INFO

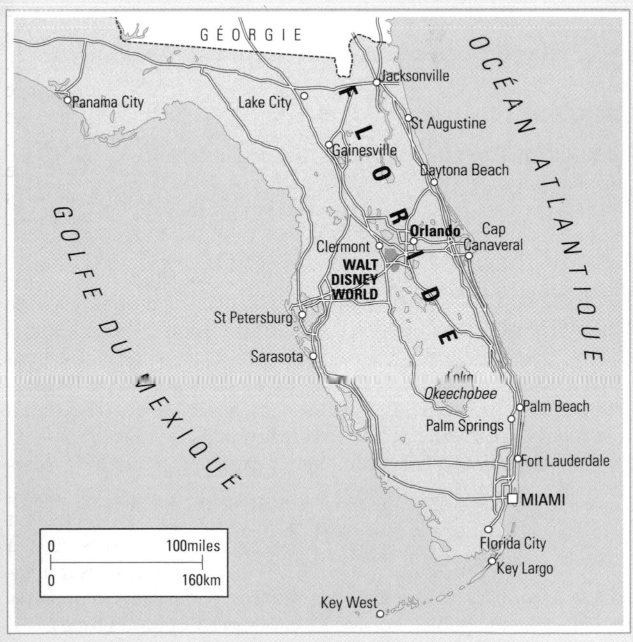

Informations pratiques classées de A à Z pour un voyage agréable

Un équivalent américain (souvent au singulier) est donné pour les titres importants. Dans certains cas, les rubriques sont complétées par des expressions qui devraient vous tirer d'embarras.

AÉROPORT (*airport*)

Orlando (McCoy) International Airport (code: ORL ou MCO) est situé à 15km au sud du centre d'Orlando et à 40km du Disney World. Il a deux terminaux reliés à leurs satellites par un petit train. Il n'y a aucun chariot à bagages et il vaut mieux avoir des valises à roulettes. Des personnages de Disney font des apparitions pour souhaiter la bienvenue ou dire au revoir aux voyageurs.

Transferts (voir aussi p. 140) De l'aéroport, taxis et navettes desservent Disney World, l'International Drive, le centre d'Orlando, Kissimmee et Cocoa Beach. Des hôtels assurent gratuitement le trajet de et vers l'aéroport (renseignez-vous auprès de ces hôtels); les transferts peuvent être compris dans le forfait des voyages organisés. Des bus publics relient Orlando International au centre-ville.

Enregistrement Allez à l'enregistrement 45 minutes avant le départ pour les vols intérieurs, au moins 1h pour les vols internationaux. Pour des informations sur votre vol, appelez la compagnie aérienne.

Autres aéroports de Floride Miami, Tampa, Fort Lauderdale, West Palm Beach et Key West ont aussi des aéroports internationaux.

Vols intérieurs L'avion est de loin le moyen le plus rapide et le meilleur marché pour voyager à l'intérieur des Etats-Unis. Les voyageurs en provenance de l'étranger peuvent se procurer un billet *Visit USA* qui donne droit à de substantiels rabais, sans programmes obligés. Vous devez acheter ce billet avant votre arrivée dans le pays (ou dans les quinze jours qui suivent).

Les tarifs variant constamment, consultez votre agent de voyage pour toutes informations sur les offres spéciales.

ANIMAUX

Ils ne sont pas admis dans les parcs thématiques, qui mettent à disposition des chenils climatisés situés à l'entrée. Dans de nombreux endroits, les chiens doivent être tenus en laisse et ils sont généralement indésirables dans les hôtels, les restaurants, les magasins d'alimentation et les transports publics, ainsi que sur les plages.

ARGENT

L'unité monétaire est le dollar ($), divisé en 100 cents (¢).

Pièces 1¢ (*penny*), 5¢ (*nickel*), 10¢ (*dime*), 25¢ (*quarter*), 50¢ (*half dollar*), et $1. Seules les quatre premières sont d'usage courant. Par inadvertance, on pourrait vous rendre des pièces canadiennes; celles-ci ont une valeur inférieure de 15% à celles des Etats-Unis et sont inutilisables dans les appareils à sous (téléphone ou autres).

Billets $1, $2 (rare), $5, $10, $20, $50, $100. Les grosses coupures sont rares. Tous les billets ayant même taille et couleur, rangez-les séparément dans votre portefeuille pour ne pas les confondre.

Procurez-vous des **dollars Disney** en coupures de $1, $5 et $10 aux billeteries ou aux *Information/Guest Services*. Vous pouvez utiliser ces dollars dans tout Disney World pour payer nourriture et marchandises; ils peuvent être reconvertis en dollars américains sans problème. Ils constituent d'amusants souvenirs.

Banques et bureaux de change (*bank*; *currency exchange*) Les banques ouvrent de 9h à 14 ou 15h, du lundi au vendredi. Elles sont peu nombreuses à changer les devises étrangères. Les banques du Disney

World sont une exception; leurs horaires sont plus longs et leur taux de change plus avantageux. Vous les trouverez sur Town Square, du Magic Kingdom, et à l'entrée d'EPCOT. Dans les trois parcs thématiques, les *Guest Services* changent des devises étrangères. D'autres succursales de banque se trouvent à l'opposé de Village Market Place, ainsi qu'au centre commercial des Crossroads. Les grands hôtels font aussi du change. Il est préférable et plus simple de voyager avec des chèques de voyage libellés en dollars (voir ci-dessous), des cartes de crédit connues ou des dollars en argent liquide.

Lorsque vous changez de l'argent ou des chèques de voyage, demandez des billets de $20: ils sont acceptés partout, alors que certains établissements refusent les coupures plus grosses si elles ne correspondent pas à peu près au montant à régler. En fait, il semble que les billets de $100, imitations comprises, circulent davantage à l'étranger qu'aux Etats-Unis.

Cartes de crédit (*credit card*) Dans les magasins, les restaurants et les hôtels, au moment de payer, on vous demandera: *Cash or charge?* (liquide ou avec une carte de crédit?). Les commerçants se méfient des cartes peu connues, mais ils accepteront les principales cartes américaines ou internationales. On vous demandera une pièce d'identité. Quelques cartes internationales sont acceptées par les distibuteurs automatiques d'argent, à la condition que vous connaissiez votre code secret (en anglais: *PIN – Personal Identification Number*); des banques vous avancent de l'argent sur présentation de votre carte.

La nuit, maintes stations-service acceptent uniquement les cartes. De même, en dehors des heures de bureau normales, il est impossible de louer une voiture ou de régler des factures en liquide.

Chèques de voyage (*traveler's checks*) Plus sûrs que l'argent liquide, ils peuvent être changés rapidement, du moment qu'ils sont libellés en dollars américains. Les banques vous demanderont de présenter votre passeport ou tout autre papier d'identité, et nombre d'hôtels, magasins et restaurants les accepteront en paiement, spécialement s'ils sont tirés sur des banques américaines. Ne changez que de petits montants à la fois: laissez à votre hôtel la liste des numéros des chèques et le détail des transactions (solde, date et lieu).

Prix Les prix affichés n'incluent pas, en général, la taxe de 6% environ perçue par l'Etat; celle-ci est ajoutée au moment de payer. Les notes d'hôtel sont majorées de 10 à 11%.

Aux Etats-Unis, les prix pour une même marchandise varient beaucoup, mais, en revanche, le choix est plus vaste. Les grands magasins font des prix modérés. De petites épiceries, des drugstores et les magasins ouverts jour et nuit affichent des prix de 10 à 70% plus élevés que les supermarchés, mais les stations-services indépendantes sont meilleur marché que celles des grandes compagnies pétrolières.

Combien coûte ceci?	**How much does this cost?**
Avez-vous quelque chose de moins cher?	**Have you something less expensive?**

B

BLANCHISSERIE et NETTOYAGE À SEC
(*laundry; dry-cleaning*)

Tous les hôtels et le camping du Disney World, ainsi que de nombreux autres hôtels sont équipés de laveries automatiques fonctionnant avec des pièces de monnaie. Du lundi au samedi, vous pouvez confier votre lessive à votre hôtel; si vous donnez vos vêtements avant 9h, ils vous seront retournés le jour même.

CAMPING

Le camping à l'américaine implique généralement l'utilisation de véhicules de loisirs (*recreational vehicles – RV*): camping-cars ou caravanes. Si vous choisissez ce mode de camping, vous trouverez dans le *Rand McNally Campground and Trailer Park Guide* et le *Woodalls*, la liste des camps, avec leur catégorie et le détail de leur équipement. Le camping sauvage au bord de la route ou sur des propriétés privées est à la fois illégal et dangereux.

Le Fort Wilderness Resort dispose, si vous n'avez ni tente ni RV, de *trailer homes* (sorte de chalets assez luxueux, avec climatisation); la réservation est obligatoire.

CARTES et PLANS (*maps*)

Il y a d'excellents plans dans la brochure gratuite *Guidebook* distribuée dans les bureaux d'accueil (Guest Services/Information: *City Hall* dans le Magic Kingdom, *Earth Station* à EPCOT, entrée principale des Disney-MGM Studios, Universal Sudios et Sea World).

Les *Florida Welcome Stations*, installées le long des grand axes et dans les ports, distribuent cartes et plans. Les chambres de commerce ou les autorités touristiques vous fourniront des plans de ville. Dans les stations-service, des distributeurs automatiques délivrent aussi bien des cartes que des plans, et les agences de location de voitures donnent des cartes routières très utiles.

un plan de la ville de…	**a map of…**
une carte routière de…	**a road map of…**

CIGARETTES et TABAC

Il est interdit de fumer dans de nombreuses attractions ou parcours, ainsi que dans les files d'attente. La plupart des restaurants ont des zones fumeurs et non-fumeurs. On vous priera d'indiquer votre préférence. Des chambres non-fumeurs sont proposées dans de nombreux hôtels – posez la question à la réservation ou dès votre arrivée.

CLIMAT

L'hiver, en Floride centrale, est généralement très agréable, mais les jours de pluie et les coups de froid ne sont pas exclus – il arrive que la température tombe à zéro pour de courtes périodes. Elle peut aussi, certains jours, grimper jusqu'à 30°C. Prenez les vêtements nécessaires pour faire face à toutes les situations.

L'été, oscillant entre chaud et très chaud, peut être très humide. De juin à octobre, attendez-vous à un peu de pluie chaque jour. Les ouragans sont assez rares: en moyenne, un tout les sept ans et uniquement entre juillet et novembre; le risque que vous vous trouviez au mauvais endroit au mauvais moment est donc minime. Pour le bulletin météorologique, appelez le (407) 824 41 04.

Les températures diurnes moyennes (exprimées en degrés Celsius et Fahrenheit) à Orlando sont les suivantes:

	J	F	M	A	M	J	J	A	S	O	N	D
°C	21	22	24	26	30	31	31	31	30	29	25	23
°F	70	72	76	79	86	87	87	87	86	84	77	73

COMMENT S'HABILLER

En Floride, lorsqu'il commence à faire chaud, les gens branchent leurs climatiseurs. L'air peut donc avoir une fraîcheur polaire, aussi emportez un vêtement pour vous couvrir dans les magasins, les restaurants ou les véhicules climatisés, y compris les bus.

Une tenue décontractée est parfaitement de mise toute la journée – choisissez-la large plutôt qu'ajustée, claire plutôt que sombre et préférez le coton aux fibres synthétiques. Si vous pensez aller nager fréquemment, emportez un maillot de bain de rechange. D'autres accessoires ne sont pas à négliger, telles une ombrelle ou de confortables chaussures de marche ou de sport.

Dans les parcs d'attraction et leurs moyens de transport, il est obligatoire d'être chaussé et d'avoir le torse couvert.

COMMENT Y ALLER

Les tarifs et les conditions étant très variables, consultez votre agence de voyage pour obtenir les dernières informations.

AU DÉPART DU CANADA (MONTRÉAL)

Par avion Il y a deux vols quotidiens, via New York. D'autre part, des vols non-stop ou direct relient chaque jour la plupart des grandes villes américaines à Orlando et aux grandes villes de Floride.

En autocar La Floride est desservie par la compagnie Greyhound, également depuis le Canada. Les petites compagnies qui assurent la navette entre les hôtels et les attractions proposent des tours panoramiques. (Attention aux programmes trop copieux: vous ne disposerez pas de suffisamment de temps pour les visites.) Des abonnements forfaitaires d'une durée limitée (en vente hors des Etats-Unis uniquement) permettent de voyager en bus dans tout le pays, sans restriction et à un tarif avantageux.

En voiture Venant de Montréal, vous emprunterez l'*Expressway* I-95 qui passe par Washington et Savannah.

AU DÉPART DE L'AMÉRIQUE DU NORD

En train L'Amtrak propose des tarifs spéciaux, y compris des tarifs Famille et Excursion, ainsi que des forfaits «hôtel/guide».

AU DÉPART DE L'EUROPE, EN AVION

Belgique Il n'y a pas de vols directs; vous transiterez par Francfort, Londres et Amsterdam (New York, Washington ou Boston).

France Chaque semaine, 4 vols non-stop assurent la liaison Paris-Orlando. Autrement, le transit peut se faire à Londres ou Amsterdam (ou Atlanta, Boston, Washington, Miami).

Suisse Faute de vols direct, le transit est obligatoire à Francfort, Londres ou Amsterdam (ou bien Atlanta ou New York).

Le trajet New York-Orlando s'effectue en 2h 45.

TARIFS SPÉCIAUX

Belgique Tarifs Excursion et PEX (validité: 7 jours à 6 mois)

France Tarifs Excursion, PEX (7 j. à 3 mois) et APEX (7 à 21 jours)

Suisse Tarifs Excursion, PEX (10 j. à 3 mois) et SUPER APEX (7 j. à 3 mois). Il existe un vol charter hebdomadaire Zurich-Orlando.

CONDUIRE EN FLORIDE

Les routes en Floride Roulez à droite. Vous pouvez tourner à droite après un arrêt à un feu rouge, à la condition qu'aucun véhicule ne vienne sur la gauche, vous cédiez le passage aux piétons et que la manœuvre ne soit pas explicitement interdite. S'il pleut, les feux de croisement doivent être allumés. La ceinture de sécurité est obligatoire à l'avant et il faut avoir votre permis de conduire avec vous.

Le comportement sur les routes diffère passablement de ce qui se pratique en Europe. Les conducteurs américains ont tendance à rester sur la même voie et ne font pas la distinction entre «voies lentes» et «voies rapides», sauf, dans une certaine mesure, sur le réseau *Interstate* (inter-Etat). Vous pouvez être dépassé par les deux côtés; ne changez de voie qu'avec beaucoup de prudence. Dans les zones habitées, la voie centrale est réservée pour tourner à gauche.

Choisissez entre boire et conduire, car l'alcool au volant peut vous mener en prison.

Expressways Sur les autoroutes, certaines règle de conduite sont à respecter. N'accélerez pas sur les rampes d'accès, mais, au contraire, ralentissez et attendez le moment favorable pour vous engager dans le trafic. La vitesse est limitée à 90km/h (55mph) sur les grands axes, à l'exception de certaines autoroutes, en campagne, où la vitesse est limitée à 105km/h (65mph). Les autres limitations de vitesse sont indiquées aux endroits concernés. Tant que vous suivez le trafic, personne ne vous inquiètera, mais dépassez-le et aussitôt une patrouille de police vous forcera à vous arrêter sur le bas-côté.

En cas de panne sur une autoroute, arrêtez-vous sur le bas-côté de droite, nouez un mouchoir à la poignée de la portière ou à l'antenne, soulevez le capot et attendez de l'aide dans le véhicule. La nuit, utilisez les feux de détresse.

Péages En Floride, différents types de routes sont à péage, y compris les autoroutes et de nombreux ponts. Lorsque vous voyagez, ayez de la monnaie à portée de la main: la plupart des postes de péage sont équipés de panier dans lesquels on jette le montant exact.

Essence et aires de repos (*gasoline; services*) En plus des pompes en libre-service, les stations-service ont des pompes où l'on vous sert, mais le carburant y est plus cher. Il faut souvent payer d'avance, la nuit surtout. Certaines pompes acceptent les cartes de crédits les plus connues. Quelques stations sont fermées le soir et le dimanche. Les stations-service du Disney World sont situées près de l'entrée principale du Magic Kingdom et au centre commercial des Crossroads.

En Floride, les véhicules de location ont généralement l'air conditionné. Si votre voiture consomme trop ou surchauffe, arrêtez le système de climatisation, car il surcharge le moteur.

Stationnement Tous les parcs thématiques sont dotés de vastes parkings. Ils sont généralement payants, sauf pour les résidents des hôtels ou camping Disney sur présentation de la carte qu'ils ont reçue en arrivant. Gardez votre ticket: il est valable toute la journée pour tous les parkings. Notez toujours l'emplacement de votre voiture.

Votre voiture doit être garée l'avant tourné vers le trafic, à moins que le parking ne soit en épi. Ne stationnez jamais à proximité des bornes d'incendie ou le long de trottoirs peints en rouge ou jaune.

Itinéraires Si vous ne connaissez pas la région que vous traversez ou vers laquelle vous allez, faites-vous aider pour établir votre route.

American Automobile Association L'AAA porte assistance à tous les membres des organisations étrangères affiliées. Elle fournit également des renseignements touristiques concernant les Etats-Unis et offre aux propriétaires de voitures de souscrire une assurance au mois. Prenez contact avec l'AAA au 1000 AAA Drive, Heathrow, FL 32746-5063; tél. (407) 444 70 00.

Signalisation routière Les Etats-Unis adoptent peu à peu la signalisation internationale. Néanmoins, voici quelques termes que vous pourrez trouver sur certains panneaux:

Detour	Déviation
Divided highway	Route à terre-plein central
Expressway	Autoroute
Men working	Travaux
No passing	Dépassement interdit
No parking along highway	Route à stationnement interdit
Pay toll	Péage
Roadway	Chaussée
Traffic circle	Rond-point
Yield	Cédez le passage

CONSULATS (*consulate*)

A MIAMI

Belgique: 2231 N.E. 192 St, Miami, FL 33160; tél. (305) 932 89 81
France: 1 Biscayne Tower, Suite 1714, 2 South Biscayne Boulevard, Miami, FL 33131; tél. (305) 372 97 98

A ATLANTA (GÉORGIE)

Canada: 1 CNN Center, South Tower, Suite 400, Atlanta GA 30303-2705; tél. (404) 596 17 00
Suisse: 1275 Peachtree St N.E., Suite 425, Atlanta GA 30309-3533; tél. (404) 872 78 74

DÉCALAGE HORAIRE et DATES

Le territoire des Etats-Unis continentaux est réparti entre quatre fuseaux horaires; la Floride (comme New York) vit à l'heure de l'*Eastern Standard Time*. D'avril à octobre, on y adopte le *Daylight Saving Time* (l'heure d'été): les montres sont avancées d'une heure.

Aux Etats-Unis, l'usage veut que, dans les dates, on inverse le jour et le mois. Ainsi, par exemple, le 6 janvier 1995 s'écrit 1/6/95

Orlando	Montréal	Paris	Genève	Bruxelles
midi	midi	18h	18h	18h

DÉLITS

Les grands parcs disposent de leur propre personnel de sécurité si discret que vous ne le remarquerez sans doute pas; il est prêt à intervenir en cas de besoin. Le Disney World est l'un des endroits les plus sûrs au monde, mais veillez tout de même sur vos affaires personnelles. La plupart des hôtels ont un coffre. Déposez toujours votre argent, vos cartes de crédit, chèques, etc. dans le coffre.

Hors des parcs, prenez garde aux pickpockets. Ils opèrent à deux surtout dans les bus, les files d'attente, la foule dans les magasins et les ascenseurs. En Floride, l'achat et la vente de drogues prohibées sont de sérieux délits. L'Etat dispose d'un contingent de policiers en civil qui luttent contre le fléau. En cas de vol, appelez la police; demandez une copie du rapport pour votre compagnie d'assurance. Signalez sans délai les cartes de crédit et les chèques de voyages volés. (Gardez séparément la liste des numéros; vous devriez avoir aussi une copie de votre billet d'avion et de votre passeport.)

J'aimerais déclarer un vol. **I want to report a theft.**

DOUANE et FORMALITÉS D'ENTRÉE

(*customs; entry formalities*)

Pour un séjour touristique de 90 jours au plus, les ressortissants belges, français et suisses n'ont pas besoin de visa. S'ils entrent dans le pays par le Canada, le Mexique ou les Caraïbes, ils doivent présenter un billet de retour pour une destination autre que ces pays. Les Canadiens n'ont qu'à fournir la preuve de leur nationalité.

Articles détaxés Avant l'arrivée, remplissez une déclaration de douane. Le tableau ci-dessous vous indique les quantités autorisées à l'importation en franchise aux Etats-Unis (si vous avez plus de 21 ans) et, au retour, dans votre pays.

Restrictions de devises Un non-résident a le droit de faire entrer en franchise aux Etats-Unis des articles, destinés à faire des cadeaux, pour une valeur globale de 100 dollars maximum. L'importation de plantes, graines, fruits, chocolats à la liqueur et aliments crus est prohibée. Les sommes excédant le montant total de 10 000 dollars doivent être déclarées à l'entrée et à la sortie des Etats-Unis.

	Cigarettes		Cigares		Tabac	Alcools		Vin
Etats-Unis	200	ou	50	ou	1350 g	1 l	ou	1 l
Canada	200	et	50	et	900 g	1,1 l	ou	1,1 l
Belgique	200	ou	50	ou	250 g	1 l	ou	2l
France	200	ou	50	ou	250 g	1 l	ou	2 l
Suisse	200	ou	50	ou	250	1 l	et	2 l

E

ELECTRICITÉ

Les Etats-Unis sont équipés en 110-115 volts, 60 Hz, alternatif. Les fiches sont petites, plates et à deux broches (plus rarement trois). Vous aurez sans doute besoin d'un adaptateur et d'un transformateur pour vos appareils électriques.

ENFANTS

La Floride en général et le Walt Disney World en particulier sont un paradis pour les enfants. Les parcours ont tout pour les séduire, mais aussi les piscines des hôtels, les jeux et des compagnons de leur âge.

Les distances sont grandes à l'intérieur des parcs et il est possible de louer des poussettes. Le soleil, la chaleur et l'humidité ne sont pas sans inconvénients. Les enfants trop jeunes ou nerveux risquent d'être perturbés par certaines attractions. Même les personnages de Disney peuvent effrayer les tout-petits. Il est bon d'avertir les enfants qu'ils ne parlent pas! Les attractions suivantes sont à éviter: à Disney World, la *Space Mountain*, *Big Thunder Mountain Railroad*, et le *Body Wars* de l'EPCOT Center; *Retour vers le futur* aux Universal Studios; et les *Star Tours* des studios Disney-MGM.

Les restaurants sont à même de traiter leurs clients de tous âges et la plupart des grands hôtels proposent un service de **baby-sitting**, des groupes de jeux et des divertissements appropriés.

H

HORAIRES

Les trois parcs ouvrent vers 9h. Main Street USA, dans le Magic Kingdom ouvre dès 8h; EPCOT et les Disney-MGM Studios ouvrent leurs portes à 8h30. L'heure de fermeture varie grandement de parc en parc, de jour en jour et de saison en saison. Demandez des détails auprès des hôtel Disney ou en téléphonant au (407) 824 43 21.

Le Typhoon Lagoon et le River Country ouvrent à 10h pour fermer à 17h (plus tard en été), la Discovery Island est ouverte de 10h à 17h. Sur Pleasure Island, les clubs et divertissements vont à 19h à 2h le lendemain matin (les boutiques, elles, ouvrent à 10h).

Les établissements où l'on sert des petits déjeuners et les snack-bars ont les mêmes horaires que les parcs; les restaurants ouvrent dès 11h30 ou midi. Ailleurs, le petit déjeuner est servi dès 6 ou 7h, le déjeuner dès 11h et le dîner de 17h à 22 ou 23h.

Les Universal Studios ouvrent à 9h et ferment à heures variables selon la saison. Sea World ouvre de 9h à 20h (en été de 8h30 à 21h).

Les heures de bureaux vont de 8h ou 8h30 à 17h ou 17h30. Les magasins ouvrent à 9 ou 10h. Les heures de fermeture varient entre 17h30 et 21h (certains supermarchés et magasins de dépannage sont ouverts jour et nuit).

HÔTELS et LOGEMENT (*accomodation*)

(Voir aussi CAMPING p. 119 et HOTELS RECOMMANDÉS p. 66-72)

En haute saison, il est difficile de réserver, spécialement au Walt Disney World. Réservez une année à l'avance pour les vacances de Noël et Pâques. Les taxes de l'Etat sont ajoutés à la note (voir p. 66).

Dans les hôtels et motels, on paye par chambre et non par nombre d'occupants. La plupart des chambres sont doubles, avec bains et télévision en couleurs. Les *efficencies* ont une cuisinette et un espace repas; la batterie de cuisine et la vaisselle font partie de l'équipement.

Les périodes de forte affluence, à Orlando, vont de la mi-décembre au début de janvier, de février à avril (Pâques y compris) et du début de juin à la mi-août. Pendant les autres périodes, les prix peuvent être légèrement plus bas dans certains hôtels du Disney World, voire nettement plus bas ailleurs.

Certains hôtels touristiques consentent des tarifs spéciaux aux clients qui prennent leurs repas dans l'établissement: l'*American Plan* comprend trois repas par jour, le *Modified American Plan* le petit déjeuner et le déjeuner ou le dîner.

Dans les grands hôtels, le concierge peut vous organiser des excursions, vous appeler un taxi ou vous louer une voiture. Il est évidemment plus économique de vous débrouiller par vous-même.

JOURNAUX et MAGAZINES

Les journaux locaux sont vendus dans les drugstores et par des distributeurs automatiques. Dans l'*Orlando Sentinel*, vous trouverez des informations sur la Floride centrale, les programmes TV, les heures d'ouverture des attractions touristiques et des bons de réductions pour des restaurants. Des journaux étrangers sont en vente dans quelques supermarchés, magasins et hôtels d'Orlando et de Kissimmee.

JOURS FÉRIÉS (*public holidays*)

Si un jour férié, tel que Noël, tombe un dimanche, les banques et la plupart des magasins restent fermés le lendemain. A l'occasion des long week-ends, celui qui suit *Thanksgiving Day* par exemple, les bureaux restent fermés pendant quatre jours. De nombreux restaurants ne ferment jamais, même pour Noël.

1er janvier	*New Year's Day*	Nouvel an
3e lundi de janvier	*Martin Luther King Day*	Hommage à Martin Luther King
3e lundi de février	*Washington's Birthday*	Anniversaire de Washington *
Dernier lundi de mai	*Memorial Day*	En souvenir des soldats disparus
4 juillet	*Independence Day*	Jour de l'Indépendance
1er lundi de septembre	*Labor Day*	Fête du travail
2e lundi d'octobre	*Colmbus Day*	Hommage à Christophe Colomb *
11 novembre	*Veterans' Day*	Journée des Anciens Combattants
4e jeudi de novembre	*Thanksgiving Day*	Journée d'action de grâces
25 décembre	*Christmas*	Noël

* Magasins et bureaux restent ouverts.

LANGUE

Dans les hôtels et les magasins, il n'y a pas moyen de se faire comprendre autrement qu'en anglais (parfois, en espagnol), aussi devrez-vous mettre en pratique vos notions d'anglais. Le manuel de conversation Berlitz L'AMÉRICAIN POUR LE VOYAGE vous tirera d'embarras dans bien des circonstances. Voici quelques expressions utiles:

Bonjour (matin)	**Good morning**
Bonjour (après-midi)	**Good afternoon**
Bonsoir/Bonne nuit	**Good evening/Good night**
Au revoir/A bientôt	**Good bye/See you later**
Excusez-moi	**Excuse me**
S'il vous plaît/Merci	**Please/Thank you**
Parlez-vous français?	**Do you speak French?**

Enfin, que vous sachiez l'anglais ou non, il est certains américanismes qui pourraient vous être bien utiles:

admission	droit d'entrée
bathroom	toilette (privée)
bill	billet de banque
billfold	portefeuille
check	addition de restaurant
elevator	ascenseur
first floor	rez-de-chaussée
gasoline	essence
liquor	alcool

pavement	chaussée
purse/pocketbook	sac à main
restroom	toilettes (publique)
round-trip (ticket)	billet aller et retour
second floor	premier étage
sidewalk	trottoir
stand in line	faites la queue
trailer	caravane
underpass	passage souterrain

LOCATION DE BICYCLETTES (*bicycle rental*)

On peut louer des vélos auprès de plusieurs centres de loisirs du Disney World, y compris le Fort Wilderness, la Carribbean Beach, les Dixie Landings et les Port Orleans Resorts. Le cadenas est fourni.

LOCATION DE VOITURES (*car rental*)

La compétiton régnant entre les compagnies a pour conséquence des tarifs assez bas. Réservez avant votre arrivée, car ainsi les tarifs seront encore plus avantageux. Les compagnies sont représentées dans tous les grands aéroports de Floride et il est possible de louer un véhicule dans un aéroport et de le restituer dans un autre. Les agences principales disposent de bus-navettes entre l'aérogare et leurs bureaux.

Les tarifs des agences les plus connues, plus élevés, comprennent souvent une assurance, ceux des autres agences n'en incluent pas ou elle n'est pas aussi complète. Il est recommandé d'avoir une assurance (*CDW*, *collision damage waiver*), sinon les frais des éventuelles réparations pourraient être à votre charge, que vous soyez fautif ou non. Nombreux sont les forfaits vacances et les packages *fly-drive* qui comprennent une voiture, mais, avant d'en prendre possession, vous devrez vous acquitter des taxes de Floride et de la prime d'assurance.

Seuls les détenteurs d'un permis de conduire valide, âgés de plus de 21 ans peuvent louer une voiture. Certaines compagnies acceptent les conducteurs de 18 ans s'ils payent avec une carte de crédit. Aux touristes en provenance de pays non-anglophones, il est vivement recommandé d'avoir une traduction de leur permis – qu'ils présenteront avec celui-ci – ou un permis de conduire international.

Payer avec une carte de crédit connue présente généralement plus d'avantages que le règlement en liquide, car, dans ce cas, on exigera peut-être que vous déposiez un dépôt de garantie. Parfois, la nuit et le week-end surtout, l'argent liquide n'est même pas accepté.

Si vous désirez prolonger la location, informez-en l'agence d'origine ou l'agence la plus proche.

OBJETS TROUVÉS (*lost and found*)

Chaque parc thématique a son bureau des objets trouvés, situé près de l'entrée. A l'hôtel, adressez-vous aux Guest Services ou téléphonez à l'Intendance (*housekeeping*).

Les aéroports et les gares ferroviaires et routières ont leur propre bureau des objets trouvés. Dans les restaurants, les objets oubliés sont simplement mis de côté dans l'espoir que leur propriétaire viendra les réclamer. Si vous avez égaré un objet de valeur, signalez-le à la police. En cas de perte de votre passeport, mettez-vous immédiatement en rapport avec votre consulat.

OFFICES DU TOURISME

Pour toutes informations préalables à votre départ, écrivez à l'office du tourisme des Etats-Unis dans votre pays.

Belgique: Visit USA Center, Air Terminal, 35, rue du Cardinal-Mercier, 1000 Bruxelles; tél. (02) 511 51 82.

Canada: Travel USA, Casier postal 5000, succursale B, Montréal, Québec, H3B 4B5; tél. (514) 861 50 36.

France: Office du tourisme des Etats-Unis, Ambassade des Etats-Unis, 75382 Paris-Cedex 08; tél. (1) 49 30 70 00.

Suisse: Adressez-vous au bureau de Paris.

Pour préparer votre voyage en Floride et au Walt Disney World Resort, mettez-vous en relation avec l'un des offices suivants:

- Greater Miami Convention & Visitors Bureau, 4770 Biscayne Boulevard, Miami, FL33137; tél. (305) 539 30 00.
- Florida Division of Tourism in Europe, 18-24 Westbourne Grove, London W2 5RH, Grande-Bretagne; tél. (071) 727 16 61.
- Walt Disney World, Box 10 000, Lake Buena Vista, FL32830-1000, USA; tél. (407) 824 43 21.
- Euro-Disney SCA, Boîte postale 100, F-77777 Marne-la-Vallée Cedex, France; tél. (1) 49 70 30 00.

L'information est gratuite dans les stations d'accueil le long des grands axes d'entrée dans l'Etat, mais la meilleure source d'information reste la chambre de commerce locale.

Dans les hôtels Disney, les chaînes de télé 5, 7 et 10 et le numéro de téléphone 824 43 21 sont réservés aux informations touristiques.

P

PHOTOGRAPHIE et VIDÉO

Les supermarchés et les drugstores vendent les mêmes films que l'on trouve dans les magasins de photographie, mais meilleur marché. Des services de développement en 2 heures sont disponibles dans chaque parc et ailleurs. Si vous n'êtes là que pour une courte visite, attendez d'être de retour chez vous pour faire développer vos diapos, car ici, le développement peut s'avérer assez long. Ne laissez pas vos films dans la voiture: la chaleur pourrait les endommager. Les détecteurs à rayons X des aéroports ne représentent aucun risque pour les pellicules normales, vierges ou exposées; mais, les films à grande sensibilité peuvent en être affectés; faites-les inspecter séparément.

Dans les boutiques photographiques des parcs, des caméscopes et des appareils-photos sont proposés en location. On y trouve aussi des cassettes vidéos pour tous les types d'appareils. Notez que les normes vidéo européennes et américaines ne sont pas compatibles.

J'aimerais un film pour cet appareil.	**I'd like some film for this camera.**
Un film noir et blanc	**black-and-white film**
Un film couleurs	**color prints**
Un film pour diapositives	**color slides**
Une cassette vidéo	**a video tape**

POLICE

La police municipale (*city police*) s'occupe de la criminalité locale et de l'application du code de la route, tandis que la police de la route (*Highway Patrol*, appelée également *State Troopers*) assure la sécurité sur les grandes routes et verbalise les conducteurs en excès de vitesse ou en sous l'influence de l'alcool ou de drogues. Le Disney World possède ses propres forces de sécurité et sa patrouille de la route. D'un commerce agréable, les policiers américains sont amicaux et tolérants avec les étrangers coupables d'infractions légères.

En cas d'urgence, appelez le **911** (ambulance, police, pompiers).

Où est le poste de police le plus proche?	**Where's the nearest police station?**
C'est très urgent.	**It's very urgent.**

POSTE

Les postes américaines ne traitent que le courrier. Le téléphone et le télégraphe sont gérés par d'autres compagnies. Postez vos lettres dans les boîtes bleues qui se trouvent le long des trottoirs. Les boîtes couleur chamois de Main Street, USA sont relevées par le personnel du parc qui porte ensuite le courrier à un bureau de poste. Vous pouvez acheter des timbres au City Hall du Magic Kingdom et, en dehors des heures d'ouverture, aux distributeurs situés dans le hall des bureaux de postes (il y en a un au centre commercial des Crossroads). Les timbres dispensés par les distributeurs des hôtels et boutiques coûtent davantage que leur valeur faciale.

Horaires Les bureaux de poste sont ouverts de 8h à 17h du lundi au vendredi, et de 8h à midi le samedi. Dans les villes importantes, un bureau reste ouvert plus tard dans la soirée, jusqu'à 21h environ.

Poste restante Votre courrier, marqué *General Delivery*, peut vous être adressé à la poste principale de n'importe quelle ville. Il y sera gardé un mois. Pour le retirer, présentez un passeport ou toute autre pièce d'identité reconnue.

POURBOIRES

Les serveurs ont souvent des salaires modestes, l'essentiel de leurs revenus provenant des pourboires. On ne donne de pourboire ni aux ouvreuses, ni aux pompistes. Voici quelques suggestions:

Chauffeur de taxi	15%
Coiffeur/barbier	15%
Guide	10-15%
Portier d'hôtel, par bagage	50¢-$1 (minimum $1)
Serveur	15-0%

POUR ÉQUILIBRER VOTRE BUDGET

Voici une liste de quelques prix moyens; ceux-ci ne sont qu'indicatifs, l'inflation sévissant également ici.

Aéroport (transfert) De l'aéroport international d'Orlando au Disney World: taxi $38, navette $13. De l'aéroport à l'International Drive: taxi $22, navette $11.

Blanchisserie Chemise $1,90, corsage $3,75. Nettoyage à sec: veste $4,50 et plus, pantalons $2,75 et plus, robe $6 et plus.

Camping Fort Wilderness $35-52 par jour et par emplacement avec relais RV (véhicule de loisir), $69 sans relais RV. Autres campings $15-20.

Cigarettes (paquets de 20) Marques américaines $2; marques étrangères plus chères.

Coiffeurs Dames: coupe $10-25, coupe, shampooing et mise en plis $15-30; Messicurs: coupe $7-25.

Divertissements Cinéma $4-8; boîtes de nuit/discothèques $5-20 (*cover charge* incluse), boissons $4-7; dîner et spectacle $30-50.

Essence (*Gas*) $1,30 par gallon américain (approximativement 4 l).

Gardes d'enfants $5 de l'heure pour un ou deux enfants, $1 par enfant supplémentaire, transport en sus. Les hôtels, y compris les hôtels Disney, demandent $9 de l'heure.

Hôtels (chambre double avec bains) Walt Disney World: catégorie de luxe $240 et plus; moyenne $150, modérée $69. Ailleurs: catégorie de luxe $150 et plus; modérée $70-100; économique $40-80; motel $30-50.

Location de bicyclettes from $3 l'heure, $8 la journée, $35 la semaine.

Location de voitures Les prix sont très variables en Floride. Le prix moyen pour une petite voiture, avec kilométrage illimité et assurance complète en haute saison se situe aux alentours de $36 par jour et $169 par semaine.

Parcs thématiques Billet 1-jour (Magic Kingdom, Disney-MGM Studios ou EPCOT Center) $36, enfants de 3-9 ans $29. Passeport 4-jours (les trois parcs) $141, enfants $113.05. Plus Super Pass 5-jours (les trois parcs et les autres attractions) $189.15, enfants $151.05. Pleasure Island $15.85, Typhoon Lagoon $22.79, River Country $14.84, Discovery Island $10.07. Billet 1-jour Universal Studios $36, enfants $29. Billet 1-jour Sea World $34.95, enfants $29.95.

Repas et boissons Petit déjeuner $2-7, petit déjeuner «à l'américaine» $4-9, déjeuner dans un snak-bar $5, au restaurant $7-14 (davantage s'il y a un spectacle); café $1,50, bière $2,50-3, vin: verre $3-5, carafe $6-10, bouteille $10-20, cocktail $4-6.

Taxis (région d'Orlando) Prise en charge $2,25, plus $1,25 le mile (1600 m).

RADIO et TÉLÉVISION

De nombreuses radios AM et FM diffusent de la musique pop, rock, country et western, mais toutes les grandes villes ont au moins une station de musique classique.

Chaque chambre d'hôtel est équipée d'un téléviseur et les chaînes sont nombreuses. Les nouvelles régionales sont diffusées vers 18h, les informations, relayées de New York, à 18h30 ou 19h. Les journaux télévisés sont diffusés simultanément par plusieurs réseaux.

La télévision commerciale vise à atteindre la plus large audience; la fréquence des interruptions publicitaires peut agacer qui n'y est pas habitué. Le PBS (Public Broadcasting Service) fait exception en programmant musique, théâtre et programmes éducatifs (y compris des émissions achetées à l'étranger). La télévision par câble propose des spectacles et des films intéressants (quelques chaînes sont accessibles dans les hôtels, certaines gratuitement, d'autres non).

RÉCLAMATIONS (*complaint*)

Si un problème survient, vous pourrez probablement le résoudre sur place avec l'aide d'un personnel très bien formé et secourable, typique de l'industrie des services en Floride, au Disney World tout particulièrement. S'ils ne peuvent en venir à bout eux-mêmes, demandez à voir un de leurs supérieurs. Les hôtels et campings Disney ont un service téléphonique spécial et, dans les parcs, vous trouverez assistance auprès des Guest Services.

RELIGION

Au Disney World, les services religieux sont assurés au Polynesian Resort: la messe catholique le dimanche à 8h et 10h15, le culte protestant à 9h. Ailleurs, les horaires des services religieux du dimanche sont publiés dans la presse locale du samedi. Mis à part les Eglises catholiques, épiscopaliennes, presbytériennes et méthodistes, vous trouverez quantité de dénominations fondamentalistes et baptistes. Les services israëlites ont lieu à la synagogue d'Orlando.

S

SOINS MÉDICAUX (Voir aussi URGENCES p. 140)

Il n'y a pas d'assistance médicale gratuite aux Etats-Unis et les traitements médicaux y sont **coûteux**. Il est fortement recommandé de contracter, avant le départ, une assurance temporaire (par l'entremise d'un agent de voyage ou directement auprès d'une compagnie d'assurances); ou demandez à votre assureur ou à la sécurité sociale quelle est l'étendue de la couverture de votre assurance en voyage.

Les cliniques *Health First* dispensent les traitements médicaux à des tarifs moins prohibitifs que ceux des médecins privés. Les services d'urgences des hôpitaux prendront en charge quiconque requiert une attention immmédiate. Les hôtels Disney disposent d'un service de soins médicaux, *HouseMed*, mais celui-ci n'est pas gratuit.

Ne mésestimez pas les dangers du **soleil**. Choisissez une crème solaire à fort indice de protection. Bronzez par petites étapes. (On trouve de la crème solaire dans des boutiques Disney.) Buvez beaucoup d'eau. La déshydratation est rapide; les symptômes en sont des maux de tête, de la lassitude, et, chez les enfants, une humeur grincheuse.

Certains **médicaments**, vendus librement en Europe, ne sont délivrés que sur ordonnance.

Aucun **vaccin** n'est obligatoire, ni même recommandé.

un médecin/un dentiste	**a doctor/a dentist**
une ambulance/l'hôpital	**an ambulance/the hospital**
une indigestion/de la fièvre	**an upset stomach/a fever**

T

TÉLÉPHONE

Les compagnies de téléphone américaines sont fiables et efficaces. On trouve des cabines téléphoniques dans les rues, les centres commerciaux, les restaurants et la plupart des édifices publics. Un mode d'emploi est affiché sur l'appareil. Pour un appel local, décrochez le combiné, mettez 25¢ dans la fente, attendez la tonalité, puis composez le numéro à 7 chiffres. L'opérateur vous avertira des montants supplémentaires à verser, aussi ayez de la monnaie à portée de main.

Pour les renseignements locaux, appelez le 411. Pour obtenir de l'assistance et de l'aide dans la zone de l'indicatif, faites le 0.

Les appels à longues distances peuvent être composés directement d'un téléphone à prépaiement, à condition de suivre les indications. Le préfixe 1 est généralement nécessaire. Si vous ne connaissez pas le code régional, demandez de l'aide au 00. Les appels longues distances sont plus coûteux dans une cabine que d'un appareil privé. Le code d'accès international est le 011, suivi par le code national.

Les tarifs sont publiés dans les pages blanches de l'annuaire téléphonique, avec les renseignements sur les appels automatiques (*person-to person call*), en p.c.v. (*collect call*), et le paiement par carte de crédit. Des compagnies n'acceptent plus les cartes de crédit les plus connues. Les numéros commençant par 800 peuvent être appelés gratuitement (les hôtels prélèvent une taxe). Certaines compagnies vous font payer la communication avant même que votre correspondant ait décroché; aussi ne laissez pas sonner trop longtemps.

Télécopies Vous pouvez envoyer des fax depuis les grands hôtels et les bureaux spécialisés installés dans certains centres commerciaux.

Télégrammes Les compagnies de télégraphe offrent des services domestiques, internationaux et un service télex intérieur (la liste est dans les Pages Jaunes). Vous pouvez dicter votre message par téléphone en appelant l'office télégraphique de votre hôtel – l'appel sera porté sur votre note – ou d'une cabine et vous payerez directement. Une lettre télégramme (*night letter*) est moins chère qu'un télégramme.

TOILETTES

Les toilettes publiques (*restrooms*) sont nombreuses au Disney World. Ailleurs, vous en trouverez dans les restaurants, gares et grands magasins. Elles sont généralement gratuites, mais coûtent parfois un *dime* (10¢). S'il y a un préposé, laissez un pourboire.

Où sont les toilettes? **Where's the bathroom?**

TRANSPORTS PUBLICS

(Voir aussi AÉROPORTS p. 116 et COMMENT Y ALLER p. 121)

Le système de transport du Disney World est aussi complexe que les règles qui en déterminent les usagers autorisés. Au nombre de ceux-ci, figurent les résidents des hôtels et camping Disney, des hôtels de la Plaza et les porteurs des billets forfaitaires 4/5-jours. En outre, les porteurs de billets pour le Magic Kingdom ont accès au monorail ou au ferry pour entrer dans le parc.

Les **bus Disney** relient toutes les partie du Disney World entre elles; ils portent des couleurs et des signes distinctifs.

Le **Disney World Monorail** relie le Magic Kingdom Resort avec le Magic Kingdom; un embranchement va jusqu'à EPCOT.

Les **ferries** circulent entre le Ticket and Transportation Center et l'entrée du Magic Kingdom; le Contemporary Resort et le Magic Kingdom; le River Country et Discovery Island; et les Swan, Dolphin et Yachts and Beach Club Resorts et les Disney-MGM Studios.

Les **taxis** sont faciles à repérer grâce à leur petite enseigne sur le toit. La plupart d'entre eux sont équipés d'un compteur et les tarifs sont généralement peints à même les portières. A l'heure de la fermeture, quelques taxis attendent à proximité des parcs thématiques et des autres attractions. Vous pouvez demander une voiture par téléphone (consultez la rubrique *Taxicabs* dans les Pages Jaunes).

U

URGENCES (Voir aussi SOINS MÉDICAUX p. 138 et POLICE p. 134)

En cas d'urgence, composez le **911**. L'opératrice vous branchera sur le service demandé (police, ambulance ou pompiers). Toutes les villes de quelque importance disposent de permances, médicale et dentaire, ouvertes jour et nuit.

Au Disney World, des postes de premiers secours sont situés près du restaurant Crystal Palace, dans Main Street, USA (Magic Kingdom) et à côté des Guest Services de l'entrée principale des Disney-MGM Studios. Ailleurs, renseignez-vous sur leur emplacement.

VISITES GUIDÉES

Quelques-unes des plus grandes attractions fournissent les services d'un guide. Renseignez-vous soit au *City Hall* du Magic Kingdom (départ des excursions à 10h30), soit à l'*Earth Station* d'EPCOT. Des guides polyglottes sont à disposition.

VOYAGEURS HANDICAPÉS

Orlando a reçu des prix pour l'accessibilité de ses installations. A l'entrée de tous les parcs, des hôtels et des équipements, des parkings spéciaux sont à la disposition des handicapés.

Disney publie un guide spécialisé, le *Disabled Guest Guidebook*, que vous pouvez obtenir au City Hall du Magic Kingdom ou aux Information/Guest Services partout ailleurs.

Des fauteuils roulants, bien qu'en nombre limité, sont en location dans différents endroits des parcs: à la Stroller Shop, juste à l'entrée principale du *Magic Kingdom*; au pied du *Spaceship Earth* et à l'*International Gateway* d'EPCOT; à l'*Oscar Super Service*, près de l'entrée principale des Disney-MGM Studios; à l'entrée du *Sea World* et des *Universal Studios Florida*. Certains parcours et certaines attractions sont accessibles en fauteuil roulant; mais pour d'autres, les visiteurs doivent être en mesure de l'abandonner. Les restrictions sont clairement indiquées dans des brochures, ainsi qu'aux endroits concernés. Des fauteuils roulants électriques peuvent être loués à EPCOT. Quelques bus et quelques bateaux sont prévus pour pouvoir accueillir les fauteuils roulants, mais pas ceux qui sont motorisés. Dans tous les parcs thématiques, les toilettes sont accessibles aux fauteuils roulants.

Les mal-entendants trouveront des appareils acoustiques (*TTD*, *Telecommunications Device for the Deaf*) au *City Hall* (Magic Kingdom), à l'*Earth Center* (EPCOT) et aux Guest Services de l'entrée principale des Disney-MGM Studios.

Les mal-voyants trouveront des cassettes et magnétophones gracieusement mis à leur disposition; une caution leur sera demandée.

Index

Lorsqu'un mot ou un nom est cité à plusieurs reprises dans le guide, la référence principale est indiquée en caractères **gras**.

029/412 SUD